Alberto Giacometti

A Retrospective Exhibition

*from The Alberto Giacometti
Foundation, Switzerland*

Organized by
The Solomon R. Guggenheim Museum,
New York

Published by The Solomon R. Guggenheim Foundation, New York, 1974
Library of Congress Card Catalogue Number: 74-82613
© The Solomon R. Guggenheim Foundation, 1974
Printed in the United States

Participating Institutions

Walker Art Center, Minneapolis

The Cleveland Museum of Art

National Gallery of Canada, Ottawa

The Des Moines Art Center

Musée d'Art Contemporain, Montreal

Acknowledgements

This comprehensive Alberto Giacometti retrospective organized by The Solomon R. Guggenheim Museum owes its existence to the unexpected availability of a large and important group of works from Swiss museums. Through the courtesy of the Pro Helvetia Foundation and its Director, Luc Boissonnas, the Guggenheim was apprised of a building program designed to enlarge the exhibition space of the famous Kunsthaus in Zurich—one of the three beneficiaries of a permanent loan allocated by The Alberto Giacometti Foundation. The other museums provided for are the Kunstmuseum in Basel and the Kunstmuseum in Winterthur. The enforced temporary closing of the Giacometti wing at the Kunsthaus in Zurich impelled the representatives of the Giacometti Foundation, the Pro Helvetia Foundation and the directors of the three museums named above, with the enthusiastic support of His Excellency the Ambassador of Switzerland, Felix Schnyder, to initiate a tour of Japan, the United States and Canada of all travel-worthy items in their custody. The Guggenheim Museum offered to receive the Swiss Giacometti treasure from Japan with the understanding that it would arrange for its subsequent presentation on the North American continent.

The difficult task of the exhibition's organization was carried out by Dr. Louise Averill Svendsen, this Museum's Curator. She was aided by Dr. Reinhold Hohl, author of the monograph *Alberto Giacometti*, published in 1971 by Harry N. Abrams, who contributed the introduction to this catalogue. We also acknowledge the assistance of Eva Wyler, whose familiarity with the subject and the Swiss art world proved exceedingly helpful.

We are grateful to the Pro Helvetia Foundation for facilitating the original loan as well as the circulation of this exhibition. In addition, thanks are due to Miss M. Lourié of Pro Helvetia and to Dr. René Wehrli, Director, and his staff at the Kunsthaus Zurich for their valuable assistance. The Guggenheim Museum's most grateful acknowledgement is directed toward The Alberto Giacometti Foundation, under the presidency of Mr. H. C. Bechtler, whose unmatched holdings of Giacometti's oeuvre constitutes this exhibition. The Guggenheim also salutes its sister institutions and their directors to whom we are indebted for many helpful acts in the course of a necessarily lengthy and complex synchronization of effort. They are Walker Art Center, Minneapolis, Martin Friedman, Director; The Cleveland Museum of Art, Sherman E. Lee, Director; the National Gallery of Canada, Ottawa, Jean Sutherland Boggs, Director; The Des Moines Art Center, James T. Demetrion, Director; Musée d'Art Contemporain, Montreal, Fernande Saint-Martin, Director.

Lastly, it must be emphasized that a project as far ranging and complex as the Alberto Giacometti retrospective can be undertaken only with a highly trained and dedicated museum staff. Virtually every department of the Guggenheim participated in the exhibition and should receive full credit. I must express my gratitude to the staff in general and mention individually here only Cheryl McClenney's administrative assistance and Carol Fuerstein's extensive editorial work.

Thomas M. Messer, *Director*
The Solomon R. Guggenheim Museum

Preface

Among the great sculptors of our age Alberto Giacometti has the most distinct style. His gray, attenuated men and women come upon us from the distance like apparitions that seem in constant danger of dissolution in light and space despite their sudden, miraculous proximity. Fragile and insubstantial, often no more than a streak in space, the standing or walking personages suggest a merely conditional existence. Giacometti's art, therefore, is often related to a twentieth-century pessimism that has also been evoked in word and image by other artists, philosophers and poets. Giacometti's symbolic content, however, must be seen as inevitable consequence and not as creative intention. His exclusive concern was to find a form-language that would lend a convincing reality-dimension to the visions that fulfilled and oppressed him and nothing was further from his conscious striving than the illustration of a philosophy.

Very early, it became clear to the young Alberto that things and beings—the natural world from which he drew his subjects—could not simply be reproduced. Like Cézanne before him, Giacometti knew about the mutual exclusiveness of art and nature. He created early masterpieces by comprehending autonomous abstract form, but eventually rejected a formal perfection attained at the expense of verisimilitude—that aspect of reality that may be confirmed by common vision. In his famous letter to his dealer friend Pierre Matisse, Giacometti summarized the issue with utmost conciseness by stating: "I saw afresh the bodies that attracted me in life, and the abstract forms which I felt were true in sculpture. But I wanted the one without losing the other . . . ."

In Giacometti's youthful creation, roughly from the mid-twenties to the mid-thirties, his efforts were bent toward accommodation between form and expression. Working first with the inherited language of Cubism and subsequently sharing with his contemporaries the premises of Surrealism, Giacometti's sculptures and drawings symbolized and illuminated universal human states in conceptual formulations of high perfection. The subsequent decade, from the mid-thirties to the mid-forties, was given to relentless and painstaking experimentation that produced few works but prepared the ground for an existential, subjective approach which, paradoxically, yielded results of greater objectivity and universal validity. All the sculptor's means and his total visual environment—materials, surfaces, scale, distances and proximities, space and light—were related to the viewer's vision and mobilized to transform concepts into matter capable of projecting the reality of true being. Only in the last two decades of his life, from the mid-forties to his death in 1966, was Giacometti's art capable of relating the three reality-levels described by Carlo Huber as: reality as it is; reality as it is perceived; and reality as it can be represented.

In this late phase of characteristically elongated shapes, Giacometti's framework remains constant, whether in sculpture, in drawing, or in painting that now assumes a position of renewed importance. The wide conceptual span observable in his early sculptures has narrowed while the quest for the rendition of the real continues unabated. Through the related components of radical formal innovation, great expressive strength and regard for a true-to-life plausibility, Alberto Giacometti's oeuvre imposes upon us a compelling world view.

T.M.M.

Form and Vision: The Work of Alberto Giacometti

Giacometti was an artist of many talents. One of the most significant of these was the lucid intelligence with which he raised the fundamental questions of art and linked his own life and work to the adventures, ambiguities and contradictions of the artistic process. The effect of his writings and conversations on the appreciation and interpretation of his work was great. So pervasive was this influence, that the present exhibition, eight years after his death, is a welcome and necessary occasion to reconsider from new angles the importance of Giacometti's oeuvre, and to discuss anew the possible meaning of his works. We begin to see a grand design linking many of his sculptures—an aspect that we would like to call the mythic dimension of his work, notwithstanding the fact that Giacometti himself disguised this aspect by presenting his works as mere studies after nature, as tentative results, as not yet (and, as he said,[1] probably never to be) successful attempts.

This mythic dimension was to have been fully expressed in Giacometti's project for a monumental group at Chase Manhattan Plaza in New York. Late in 1958 he had been commissioned to submit a sculptural project for this site.[2] Giacometti had treated this commission as the long awaited opportunity to realize a compositional idea that had occupied him for nearly thirty years.[3] The bronze figure of a *Standing Woman*—tall, mysterious, inscrutable, enduring as a tree; a life-size *Walking Man*—forever on his way to fulfillment—and a giant *Monumental Head*—at once an observing, creative head and a sculpture of a sculptured head—were to make up the composition. Small scale studies were done in 1959 (fig. 1), full-size figures were cast in 1960; a final state was never reached. Had the group been realized, it would have presented the metaphorical or mythical image of the greater Reality beyond daily preoccupations.

Reviewing Giacometti's oeuvre, one will find that it consists of a few sculptural themes, and that a common thread is the exploration and use of such a compositional idea as embodied in the Chase Manhattan group. We understand many of his works to be small projects for such a monumental group in a public place, and it is our assumption—which will be demonstrated here—that the long series of *Standing Women*, *Walking Men* and *Heads* are studies for a more complex compositional idea.

In the last five years of his life, Giacometti seems to have put aside the idea of a group composition, and even of a monumental outdoor sculpture. He concentrated on single works, and we have to envisage his final goals in sculpture in each individual work, particularly in the *Busts of Annette, Busts of Diego* and *Busts of Elie Lotar* of 1960 to 1965.

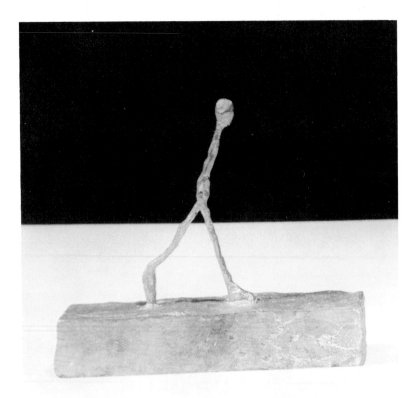

But when Giacometti came to New York in 1965 to see his retrospective at the Museum of Modern Art, he visited several times the Chase Manhattan Plaza site. James Lord has described how the artist placed some of his friends on the Plaza and gauged the effect.[4] When Giacometti left New York, he was determined to continue the Chase Manhattan project and ask his brother and life-long collaborator Diego to begin preparations for a single, very tall *Standing Woman*.[5] Once he had returned to Europe he expressed his confidence that he could now realize a monument for the Plaza.[6] Two months later he died.

Life, Personality, Writings

In his own lifetime, Alberto Giacometti was already a legendary figure. His friends—artists, photographers and a surprisingly great number of writers —sensed his extraordinary personality and testified to it. But a younger generation, who saw him late at night sitting and talking at the Montparnasse cafés, also worshipped him—not so much for his work, as for the originality, intensity and integrity of his character.

His life was not rich in biographical incident, yet his life story is famous as an exemplary spiritual adventure. Many documented conversations and interviews as well as his own writings provided ample material to nourish the legends. If they are not always true—we have reason to doubt the factual accuracy of many of his own stories about particular sculptures and even of some autobiographical accounts—, they have a ring of necessity and poetic truth, which makes them all the more significant.

The facts of his life are quickly summarized. Born in 1901 into a family of renowned Swiss artists, he benefited from an extensive humanistic and scientific education until the age of eighteen. He had painted and sculpted as a boy; he now concentrated on painting on an experimental basis in his father's studio for several months, and subsequently more professionally at the Academy in Geneva. In the fall of 1920 he went to Italy to become a painter. He used his four weeks in Florence and six months in Rome primarily to visit museums and sketch in art collections and churches, instead of pursuing formal studies. He returned to Switzerland with the firm intention of becoming a sculptor, even though (or perhaps because) he had found it easier to paint than sculpt. When he arrived in Paris in early 1922 he enrolled at the Académie de la Grande Chaumière and studied irregularly with (it might be more precise to say against) Antoine Bourdelle until 1926. In 1927 he rented the small, now historic, studio at 46, rue Hippolyte-Maindron, where he worked until the end of his life. What seems to have been the only incident which upset the ordered pattern of his existence occurred in 1942, when he visited Geneva and could not obtain a visa to re-enter France until after the War. He never experienced financial hardship, even during the years he did not produce saleable sculpture, thanks to the loyalty of his family, in particular his brother Diego. And, even when he had achieved fame and wealth, he did not change his extremely modest and bohemian life-style.

The document most often cited as a source of biographical fact and insight into his artistic development is the letter Giacometti wrote to Pierre Matisse in late 1947 concerning an exhibition to be held at the latter's New York gallery in January 1948. An epic account and a literary tour-de-force, it begins simply, but goes on to present his artistic production as a coherent and necessary development linked to his life: "Here is the list of sculptures that I promised you, but I could not put it down without explaining a certain succession of facts, without which it would make no sense. I made my first bust from nature in 1914 ... and still look at [it] with a feeling of longing and nostalgia." In 1914, of course, he was a boy of thirteen. Surprisingly, he felt it was necessary to go this far back—indeed he reached even further back into his childhood: "At the same time and even years before I was doing a lot of drawings and paintings ... [and] often copied paintings and sculptures from reproductions." He mentioned this because he had "continued to do the same thing ... up to the present." It is this awareness of the coherence of his life story that gave it the character of a saga in which the artistic search and stylistic crises are the adventures and turning points. This gave rise to some curious embellishments in his own account of his life. "In 1919 I went to the Ecole des Beaux Arts in Geneva for not even a year," Giacometti went on, "I had an aversion to it ..." But then, in his handwriting, he changed the manuscript in a significant way: "In 1919 I went to the Ecole des Beaux Arts in Geneva for three days, and after, to the Ecole des Arts et Métiers to study sculpture."[7] The facts are, that Giacometti attended David Estoppey's afternoon painting class at the Academy in Geneva from the fall of 1919 to early March 1920, and Maurice Sarkissoff's drawing class at the Arts and Crafts School there mornings, and studied sculpture privately with the latter.[8] Yet this is not the point we want to make. We quote the text-revision as an example of Giacometti's habit of returning to and revising previous formulations in order to arrive at a more powerful expression; this is seen most significantly in his sculpture and paintings, which is an endless process of revision. "Three days" is certainly the better poetic formulation. And it also reflected a mythical family pattern; for his father Giovanni and his father's second cousin Augusto changed from a painting academy to a school of applied arts after, respectively, one day and one week.[9]

Giacometti's style gives this letter extraordinary immediacy. Although carefully edited and thoroughly structured, it seems to be the product of an hour's impulsive writing. The last paragraph (another significant revision, followed by a genial literary finale) brings the account of thirty years of artistic life to an effective conclusion in the present: "And this is almost where I am today, no, where I still was yesterday . . . but I am not sure about all this. And now I stop, besides they are closing, I must pay."

There is almost no decisive change in his artistic evolution that Giacometti did not present in this or other writings and interviews as stemming from often quite miraculous incidents. Personal experiences and philosophical insights certainly were elements at the origin of his art, making it unique. His eminently literary mind and talent gave them significance and cannot be excluded when examining the meaning of his works. His intellectual lucidity, his poetic or even visionary character combined with his extremely original approach to reality confers upon his artistic realizations a mythical dimension.

Giacometti's texts about his work abound in mystifying stories—for instance the letter he contributed to the catalogue of the second New York exhibition after the War, held at the Pierre Matisse Gallery in 1950. Again, there is a first text and a revision of it the following day. This process of revision is alluded to in the very first sentence: "The titles I gave you yesterday do not go." Giacometti corrects "yesterday's facts" with "today's truths." There is no more interesting introduction to Giacometti's personality and art than to study some of his remarks and their variations of the following day.[10] Seemingly autobiographical anecdotes accompany yesterday's titles of such complex works as *Three Figures and One Head, Seven Figures and One Head* and *Nine Figures*. These compositions are described as fortuitous results of clearing his work table, and also as the rendering of impressions received in the preceding year and in his youth, when the trees and scattered blocks of gneiss in the Engadine forest appeared to him like whispering figures and heads—giving rise to their apocryphal titles *The Sand, The Forest* and *The Glade*, respectively. The origin of *Chariot* is linked to a pharmacy wagon he had seen in a hospital in 1938. The revised commentaries repeat with much less insistence these anecdotal explanations, repudiate the "Sand," "Forest" and "Glade" as titles and call all three compositions "Place," which may be translated "Square" or even "City Square" in reference to one of Giacometti's most persistent compositional projects. In "today's" text Giacometti linked the heads not only to the memory of blocks of gneiss, but to "heads I dreamt of doing almost twenty years ago"—that is around 1932, thus providing a key to the understanding of works like *Model for a Square*, 1932, (fig. 2) *Table*, 1933, and *Cube*, 1934, and evidence of the general coherence of his sculptural compositions. As for *Chariot*, references are now made to more formal problems, such as situating the figure in "empty space" and at a precise distance from the floor; it would have been more accurate to

fig. 2
Model for a Square. 1932. Plaster.
Private collection, Paris

refer to the Egyptian two-wheel *Battle Chariot* of 1500 B.C., with wheel-blocks as bases identical to his own, that Giacometti had seen at the Arche-ological Museum in Florence. This letter concludes with the same uncertainty as the 1947 letter did: "I will have to find a solution for the titles, but as of now I am not sure. For now put the titles that you find the best after what I have written before, yesterday and today." The real substance of this letter was obviously not the problem of titles, but the allusion to, and concealment of the more serious intentions behind the works.

These mystifications are very much in the Surrealist tradition. Moreover, the writing of an elaborate text by the artist for an exhibition of his works is in the spirit of the Surrealist exhibitions and manifestations of the thirties, which were dominated by the eminently literary personality of André Breton. When Giacometti began to write in 1931, it was for Breton's Surrealist periodical *Le Surréalisme au service de la révolution.* A seemingly autobiographical text like his 1933 commentary on *Palace at 4 a.m.*[11] is no more than a piece of typical Surrealist prose, a combination of sexually tinted childhood memories, miraculous or very banal incidents experienced as fate, memorable crises and pseudo-psychoanalytical investigations. In his writings, Giacometti continued to conform to Surrealist attitudes even after the War, rather than reveal his true preoccupations, which we see as mythical expression. Yet he expressly repudiated Surrealist doctrine when he concluded his essay on Callot, written in 1945, with the remark that in every work of art the subject matter is of primordial importance and its origin "is not necessarily Freudian."[12]

Giacometti's writings reflect the literary atmosphere of the periods in which they were written. During the War and early post-War years, he was close to Sartre, and probably even contributed to his theories about being and nothingness;[13] he read, and may have met, Camus. Existentialism is discernible in his texts *Le Rêve, le sphinx et la mort de T.* of 1946 and *Mai 1920,* published in 1953, but probably written some years earlier. The first of these two essays is again an outstanding literary accomplishment; it is presented as a combination of at least three consecutive attempts to tell a story and embraces techniques of Surrealism, Existentialism and—before the term was even coined—*nouveau roman*. The rhythmically phrased texts of 1953 to 1965 reveal the influence of Samuel Beckett, with whom Giacometti had many, unfortunately unrecorded, conversations. *Ma Réalité*, 1957, *Notes sur les copies,* 1965 and *Tout çela n'est pas grand chose,* 1965, are Giacometti's most serious and powerful writings. Yet when he concluded the text about his copies of October 18, 1965 with the sentences, "I don't know am I a comedian, a bum, an idiot or a scrupulous fellow. I only know that I've got to keep trying to draw a nose from nature."[14] he did not only echo Beckett's final sentence of *The Unnamable:* ". . . where I am, I don't know, I'll never know, in the silence you don't know, you must go on, I can't go on, I'll go on." but also one of Cézanne's last letters to his son Paul, dated October 13, 1906: "I must carry on. I simply must produce after nature."

To draw or sculpt or paint a nose from nature was what Giacometti did in his last years. But his late works would not have their compelling impact, if they did not also express the accumulated experiences of Giacometti's life and thoughts, as poetically embodied in his writings. We will demonstrate this relationship when discussing Giacometti's album of lithographs *Paris sans fin,* 1958-65, for which he wrote some revealing pages.

Here, it is more relevant, however, to return to the previous period of 1946 to 1950, to the texts which are still somewhat Surrealist although essentially Existentialist. This is the period of what is considered Giacometti's characteristic style of elongated, thin figures, of compositions like *City Square, Three Figures and a Head, Three Men Walking,* the series of *Standing Women,* and ideas incorporated in the later Chase Manhattan project. In *Le Rêve, le sphinx et la mort de T.* and *Mai 1920,* there seems to be much of biographical and philosophical relevance beyond the usual literary attitudes. As a young man in Italy in 1920, Alberto Giacometti was captivated by the emotional truth in Tintoretto's paintings, in which he found a reflection of his own excitement about Venice; he could not interest himself as deeply in anything else for a whole month. But one afternoon among Giotto's frescoes in Padua made him regretfully change his mind, for Giotto's style showed him another, more powerful truth in art. The very same evening, according to his account, he found yet another truth: the living reality of two or three girls in the street—some nocturnal ladies perhaps, parading in front of the young lad from the Bregaglia valley—who seemed to him powerful and disproportionately tall. He did not approach them; he was struck by the discovery, that Art, even Tintoretto's and Giotto's, could never match Reality. The image of the girls remained with him ever after, like the memory of an apparition. He rediscovered this characteristic of extreme tallness in the summer of 1921, when a man suddenly appeared between the columns of a temple in Paestum. And he rediscovered what had attracted him to Tintoretto in an Egyptian bust in Florence, the first head that seemed to him to truly resemble reality; he found it also in the strongly stylized, elongated, hieratic figures in the mosaics of the church of Sts. Cosma and Damian in Rome, which seemed to him like recreated doubles of the Paduan girls. Only Cézanne among more recent artists seemed to Giacometti to achieve this same quality.

Around his twentieth birthday, in a hotel room in Tirol, he witnessed the painful death of a companion, whose agonized head he could never forget. He suddenly understood that the essence of the dead man was his absence, and that life is presence.[15] Many years later, Giacometti observed another dead man's head and saw "a fly crawl into the black hole of the mouth and there disappear."[16]

It is easy to find examples among Giacometti's sculpture of the period in which these texts were written, which more or less relate to these experiences (*Head of a Man on a Rod,* 1947, for instance, or the tall *Standing Women* of 1947-49), but such literal parallels obscure the broader meanings of Giacometti's art. Yet these texts allow us to form some conclusions about Giacometti's esthetics and the mythic content of his work: Art is opposed to Reality; the perception of reality is experienced as a sudden apparition; to see a person suddenly as a whole reveals, above all, his verticality; style in art can produce an equivalent to the power of life; an art work may become a double of reality if the artist can confer upon it the credibility of a living presence.

Formal Developments in the Sculpture

In one of the annual letters Giacometti wrote from Stampa to his godfather Cuno Amiet, he mentioned his first successful sculptures, portrait heads of his brothers Diego and Bruno, modelled during the winter of 1914-15.[17] Half a century later, in the summer of 1964, while modelling a head—perhaps in the same room—Giacometti said in an interview filmed for Swiss television: "If I ever succeed in realizing a single head, I'll probably give up sculpture for good. But the funniest thing is, that if I were to do a head as I want to, then probably nobody would be interested in it anymore . . . . What if it were just a banal little head? In fact, since 1935, this is what I've always wanted to do. I've always failed."[18]

As a boy, inspired by reproductions of sculptures by Rodin, Giacometti had experienced no difficulties in making busts of his brothers. He applied the conventions which were valid from Roman sculptors through contemporaries like Maillol—representations not of what one sees, but of what one knows about the reality of a head: its tangible volume and substance, its measurable size. But at a certain moment in his career—Giacometti mentioned the year 1935, which should not be taken too literally—he attempted to pierce through these conventions and model a head as he actually perceived it: a purely visual entity situated in front of him at a distance and seen immediately as a unity. He had to create unprecedented sculptural means for such a representation—even Medardo Rosso's impressionistically modelled figures do not embody this radical new concept. To have found this new sculptural dimension as well as a variety of means to realize it is the basis of Giacometti's position in the history of sculpture. This new effect is easily understood: whereas a figure by Rosso, Rodin or the Etruscans (the latter so often erroneously compared to Giacometti's works because of their extreme elongation) seen close-up and from all sides does not cease to be the image of a figure, Giacometti's sculptures are images only when seen at a distance and, as a rule, frontally; seen too near or from the back they are but crusty material.

These remarks, of course, apply to his mature style. But Giacometti was an extraordinarily original sculptor even in his earlier years. In the evolution of his work we can observe a continuing vacillation between two poles—these poles are the natural forms of reality and the conceptual forms of abstraction, the truth of external life and the truth of art. Within this polarity the forms of his work changed from relatively naturalistic (until 1925) to stylized (1925-1927) to near abstract elements (1928-1931); then human forms were opposed to abstract within a single compositional project (1932-1934). In 1935 the great adventure of seeing reality anew began. His works of the following ten years were, with a few exceptions, studies of heads and figures from nature (1935-1941), memory (1942-1945) and nature again (1946). In 1947 Giacometti finally reached a stage in which he could realize in his personal sculptural style, a representation of his perception as well as of compositional ideas that he had abandoned in 1934. 1947-1950 and 1956 were the years of major realizations, usually made for exhibitions which were particularly important to him. Between 1951 and 1956 he most often pursued studies from nature. The years 1957 to 1961 marked the period of transition to his late style; it was at this moment that he was asked to submit a project for a monument for the Chase Manhattan Plaza, a project which was left unfinished. His late sculpture differs noticeably from his post-War style and culminated in the busts of 1964-65.

This stylistic evolution is demonstrable through a discussion of specific sculptural problems. During his first three years in Paris, Giacometti made realistic portrait studies. As these heads became more stylized they grew in sculptural quality but lost their descriptive sensibility. Subsequently he wholeheartedly embraced the Cubist and post-Cubist vocabulary of Duchamp-Villon, Laurens and Lipchitz (*Torso*, 1925 (cat. no. 1); *Personages*, 1926-27 (cat. no. 5); *Cubist Composition (Man)*, 1926; *Construction: Woman*, 1927). In these works references to natural shapes are replaced by the formal balance of volumes and voids. Giacometti was saved from eclecticism because of his superior sense of delicate proportions and extraordinary gift for reducing his forms to a most powerful simplicity. He also invested his sculptures—most notably *Man and Woman*, 1926, *Little Crouching Man*, 1926, *Spoon Woman*, 1926 and *Sculpture*, 1927 (cat. nos. 4, 2, 3)—with the emotional intensity of primitive art. He was, of course, not the first artist to use primitive art forms—Brancusi, Picasso, Laurens and Lipchitz did so before him. But Giacometti recreated the vital forces inherent in primitive carvings rather than merely borrowing their formal elements.[19] His sculptural signs for genitals and copulation express a mythical content which is —as in primitive art—a formulation of a universal and always active reality. This search for an intense expression of basic compositional forms made it difficult for Giacometti in this period to sculpt portrait heads (for instance *Portrait of the Artist's Mother*, 1927, (cat. no. 6); *Portrait of the Artist's Father*, 1927, (cat. nos. 7, 8) until he had found in Cycladic sculpture examples of utmost sculptural purity and almost dematerialized expressiveness. Giacometti arrived at a style of sculptural maturity in 1928 with a series of slab-like works of which the most important are *Observing Heads* (cat. nos. 9, 10). The title itself reveals his intention of rendering a head, not as an object, but as a living force—a preoccupation that lasted until his death. The figures, on the other hand, were now reduced to sculptural signs (*Reclining Woman,* 1929, (cat. no. 13), *Man,* 1929, (cat. no. 15)), which could be combined, like hieroglyphs, to become expressive compositions (*Man and Woman,* 1928-29, (fig. 3)).

The *Reclining Woman who Dreams,* 1929, (cat. no. 14) marks the transition to Surrealism. Giacometti was not merely influenced by the Surrealist movement, but he was, together with Arp and Picasso, one of Surrealism's most authentic sculptors. With the vocabulary he had developed at his disposal—half-sphere, crescent, spike, pole and cone—, Giacometti's principal concern

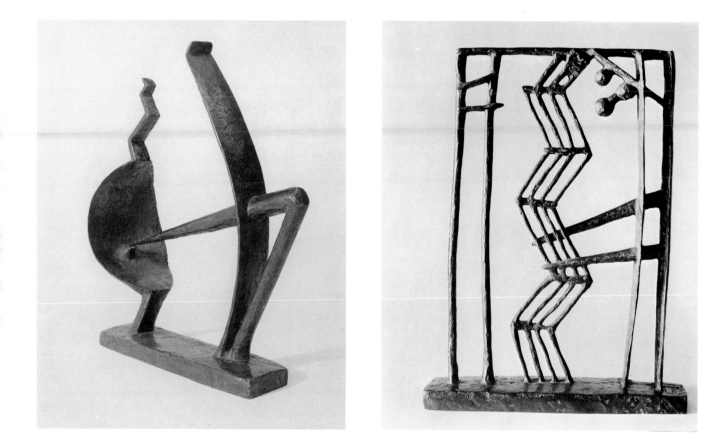

fig. 3
Man and Woman. 1928-29. Bronze.
Collection Henriette Gomès, Paris

fig. 4
Three Figures Outdoors. 1929. Bronze.
The Ratner Family Collection, Ft. Lee,
New Jersey

was now to animate and to arrange these forms into scenes suggestive of sexual encounters and cruel confrontations. The problem was that of fixing or even staging the "characters" of his plots—a problem easy to resolve in painting,[20] where the canvas serves as the stage. In sculpture the problem ultimately becomes essentially that of the relationship between sculpture and base.[21] Giacometti invented some extremely effective solutions. The *Three Figures Outdoors,* 1929, (fig. 4) are presented as an upright grill.[22] For *Suspended Ball,* 1930, (cat. no. 16) he constructed a cage from the top of which hangs a ball on a string. The ball swings freely over but never touches a crescent, which rests on a platform, inside the cage. The field of action of *Circuit,* 1931 (fig. 5) is a flat wooden board. *Palace at 4 a.m.,* 1932 (fig. 6) is a veritable model for a stage; in fact, all the works of the early thirties are like visual models used to express psychological dramas, dramas which intensely effect the viewer.

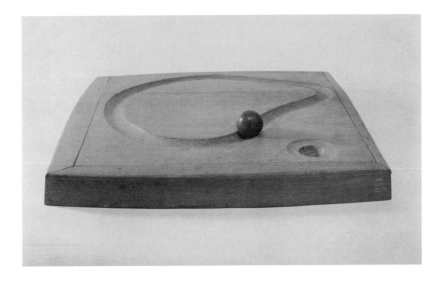

To enhance their effectiveness, Giacometti considered making at least one of these pieces, *Model for a Square*, 1932 (fig. 2), life-size, so that the spectator might enter the composition to assist in the "plot." If real people were to move among the sculptural forms and become part of the composition, the antagonism between reality and art would at once be exposed and resolved.

Giacometti found other ways to constitute links between his sculpture and the real world. He made the work of art become a part of the existing environment by eliminating the base so that the sculpture would lie on a table like any other object, as in *Disagreeable Object* and *Disagreeable Object to be Disposed of*, both of 1931, or on the floor at the mercy of the spectator, as in *Woman with her Throat Cut*, 1932, (cat. no. 17) or by making the base belong at once to the imaginary world of art and the real world of a furnished room, as in *Table*, 1933 (fig. 7). Giacometti's art was never more Surrealistic than in these ambiguous pieces, since they do not merely exist as objects to be per-

ceived esthetically, but provoke the viewer's active confrontation and participation. The next step was to control the viewer's participation by indicating where he should stand in relation to the sculpture. The most basic relationship is a frontal encounter. This frontal relationship is implied in *Caress*, 1932 by means of engraved outlines of a right and a left hand on the left and right sides of the marble sculpture, whose shape suggests a pregnant woman. These hands—they are actually the artist's own hands—are immediately understood as the hands of someone who stands directly in front of the work, thus prefiguring Giacometti's intentions in his post-War *Standing Women*.[23]

Although the concept of abolishing the strict distinction between the world of art and the world of reality by incorporating the art work into the real environment of the viewer is eminently Surrealist, Giacometti could not comply very long with Surrealist doctrines. Whereas Surrealist activities—especially the exhibitions after 1935—were ephemeral displays of assorted objects, assembled to create fantastic situations, Giacometti wanted to make permanent and even monumental compositions. Had the *Model for a Square* been realized life-size, its sculptural elements would have had more in common with monuments like the prehistoric Stonehenge complex or the monumental heads of Easter Island—with their expression of some universal or mythical reality—than with a Surrealist manifestation.

This spiritual dimension necessarily escaped André Breton, when he commented on the origin of Giacometti's *The Invisible Object*, 1934 (fig. 8).[24] The title itself as well as the pun inherent in its alternate title, "*Mains tenant le vide*" (Hands Holding the Void), which can be read as "*Maintenant le vide*" (And now emptiness), is a rebuke to the Surrealist cult of the object. Contrary to Breton's story that a mysterious object found at the flea-market (it was, in fact, the prototype for an iron protection mask designed by the French Medical Corps in the First World War)[25] had helped the artist to find his forms, Giacometti had borrowed the stylized human shapes from a Solomon Islands *Seated Statue of a Deceased Woman*, which he had seen at the Ethnological Museum in Basel, and had combined them with other elements of Oceanic art, such as the bird-like demon of death. These formal origins, together with the impact of a hieratic frontality, should be considered above all for their mythical content.

Some time before 1935, Giacometti began to feel that there was no real difference between the almost abstract forms of his work and the vases and lamps he was designing for an interior decorator. (One of his decorative objects was, in fact, reproduced in an avant-garde publication of 1937 with the caption *Sculpture*.[26])

Giacometti described the dilemma he experienced in this period in his 1947 letter to Pierre Matisse: "I saw afresh the bodies that attracted me in life and the abstract forms which I felt were true in sculpture. But I wanted the one without losing the other . . . And then the desire to make compositions with figures." *Walking Woman*, 1932 and *Cube*, 1934 (cat. no. 19) (a stereometric form already used in *Table*, 1933) exemplify these preoccupations. *Cube* was to represent a head and was part of a monumental project which will be discussed later; the elegantly and most sensitively stylized *Walking Woman* relates to the stance and style of Archipenko's bronze

Flat Torso, 1914. In 1935, stylization—whether geometric or biomorphic—was no longer Giacometti's aim. He wanted to go further and create figures which would be perceived as reality is perceived, and which at once would carry the imprint of the spectator's perceptive participation. He began to make studies from nature for such a figure, but he soon limited his investigations to a head. He began to explore the phenomena of perception and reached conclusions with profound esthetic, psychological and philosophical repercussions.

A head or a figure is perceived at a single stroke and is experienced as an indivisible unity. If this were not so, it would be seen merely as an accumulation of disorganized elements of skin, eyelashes and so on. Since the object must always be seen at a distance, there is always space between it and the viewer's eye. Perception, as Giacometti thought of it, is an exclusively visual experience which reveals no sense of weight, and only by mental correction the actual size of the object. He also found that real visual contact was established only by looking full-face at a person, usually directly into his eyes. Giacometti concluded that the imprint of the viewer's perception on a work of art could be expressed by rendering the effect that the art work was seen at an unbridgeable distance as an immediately understood unity which is seen frontally and owes its existence as an image to the viewer. The sculpture is transformed from mere clay or bronze into a figure by the active participation of the viewer.

All Giacometti's sculptures between 1936 and 1941 were studies related to these researches. Their style may appropriately be called phenomenological realism, in contrast to the conceptual realism of traditional sculpture. *Woman with Chariot,* 1942, is the only large-scale piece from this period; the figure stands on a cube to which wheels are attached, so that the sculpture might be moved back and forth and thus demonstrate changes in its phenomenological size.

Between 1942 and 1946 Giacometti made extremely small sculptures and placed them on relatively large bases, to create the effect that the figures were far away from the viewer. Moreover, the figures do not have detailed features, which reinforces the sense of distance. Their miniscule size renders not so much actual perception as the remembered image of a figure seen far away on the street, which has lost all recognizable details without losing its identity.

His phenomenological investigations led Giacometti to further conclusions in 1946. He realized that space does not exist merely in front of a figure, but surrounds and separates it from other objects. When we look at something, we see as much of this space (particularly at the sides of the object) as our field of vision permits.[27] The figure seen at a distance appears pronouncedly thin in relation to the absolute standard of our field of vision. As a consequence of its thinness, the figure also appears relatively tall. The change from the tiny representations of the preceding years to the elongated figures of 1946 resulted from new studies—mostly drawings—from nature.

In 1947 Giacometti gave permanent form to his visual experiences and adopted them as his new sculptural style of elongated, thin, seemingly weightless and massless figures. This style is as expressive and effective for complex monumental compositions as it is for single heads and figures seen frontally. He had broken through the traditional sculptural conventions and found a truly personal way to express his vision of reality.

He overtly challenged these conventions by referring to traditional sculptural themes in his own sculpture: in *Man Pointing*, 1947 (part of a now lost two-figure composition[28]) he presented his own version of the pose of the classical Greek *Poseidon of Cap Artemision*, or of Rodin's *St. John the Baptist Preaching; Walking Man*, 1947, (cat. no. 22) is his version of Rodin's *Walking Man*; every motionless *Standing Woman* from 1947 to 1949 is an allusion to Egyptian burial figures or early Greek Korai, whose hair style they even occasionally borrow. The base of a *Standing Woman* is often not only the traditional device to make the sculpture stand, but an abbreviated perspectival rendering of the floor on which the model was standing, and which thus becomes an integral part of the sculptural image. In the expressive *Head of a Man on a Rod* (fig. 9) the problem of the base is eliminated by placing the head atop a rod.[29]

Giacometti was now ready to execute complex compositions of his own —the "compositions with figures" he had desired to make before working from nature in 1935. *Three Men Walking* and *City Square*, 1948, may be considered as models for such works, for which he also made large studies. These works cannot be adequately discussed in purely formal terms; their themes will be analyzed in their iconographical context. Based on the concept of the *Woman with Chariot*, 1942, Giacometti executed the monumental bronze *Chariot*, 1950, for a public plaza, a commission that was ultimately rejected by the Municipality of the City of Paris.[30] The especially numerous realizations of the fifties include *Four Figurines on a Base* (cat. no. 31) of which the base is, like that of *Table*, 1933, both a part of our real environment and an element of the imaginary world of the work of art; the pedestal supporting the figures is triangular, rendering a foreshortened representation of the shining floor on which Giacometti—according to his 1950 letter to Pierre Matisse—had seen some seemingly unapproachable women in a cabaret. In *Four Women on a Base*, 1950, (cat. no. 30) the women are represented as isolated individuals, united only by the base and the space they share. This idea perhaps provides a key to the understanding of the *Standing Woman* series of 1956, known as *Women of Venice I to IX,* for example cat. no. 44, which were made for the Venice Biennale of that year. These were executed as individual figures—some are in fact casts of different states of execution of the same sculpture,[31] however, they achieve their full meaning, which is an expression of solidarity, when shown as a group, as they were when arranged by Giacometti at his exhibitions in Venice and Bern in 1956. One of the projects that did not progress beyond the model stage is the *Project for a Monument to a Famous Man* of 1956. The sculptures of the fifties, mostly figures of *Standing Women* and busts called *Head of a Man*—generally done after nature, with Giocometti's wife Annette and his brother Diego as models—reflect a slow but constant development towards a new sculptural concept and a new style. Giacometti abandoned the extreme dematerialization of the figures, and after 1955, also the blade-like thinness of the heads, and replaced these stylistic exaggerations of his vision with several other effects such as fragmentation or treatment of the now more

fig. 9
Head of a Man on a Rod. 1947. Bronze and plaster. Collection William N. Eisendrath, Jr.

massive busts as sculptural repoussoirs, that is, as contrasts to increase the illusionary distance of the heads.

Giacometti began to see that a sculpture, which was to become a "double of reality,"[32] could no longer be represented merely as a function of the viewer's perception; it must rather be a creation existing independently of the spectator's eye. The confrontation should be a mutual one. From the late 1950's on, Giacometti therefore concentrated almost exclusively on the problem of conferring a life-like gaze upon his sculptures, for the faculty of seeing, the spark of life in the eyes is the proof of the real existence of these heads. *Seated Woman,* 1956, is a work which expresses these new concepts—she possesses a new sculptural solidity and, most important, her own gaze. The busts of *Diego on a Stele,* 1957, even reemploy the Roman and Baroque formulation of the base as a stele, but Giacometti integrated the base with the sculpture. This quotation of a traditional format enhances the novelty and power of the head's presence, in particular its gaze. The *Monumental Head* of 1960, (fig. 10) refers in its sheer size, volume and gazing eyes to the Roman *Colossal Head of Constantine,* which Giacometti had sketched at this time.[34]

Giacometti achieved his last style around 1960. *The Busts of Annette,* 1960-1964, may seem, upon superficial inspection, to be rather traditionally

fig. 10
Monumental Head. 1960. Bronze.
Private collection

modelled busts—like the "banal little head" Giacometti spoke of in the interview of 1964—were it not for the inescapable power of the gaze. This is even more true of the *Busts of Diego* and busts of *Elie Lotar* of 1965 (fig. 11). The most rudimentary representation of corporeality imaginable, they are almost a negation of the organic existence of their subjects. These busts bear almost no resemblance to their subjects; they seem to be self portraits rather than portraits of the sitters. Though their gaze is piercing, they do not look directly at the observer or acknowledge his presence. Rather, they look through him, the vector of their gazes connecting the interior of their heads with another reality. They dominate their surroundings by their very existence. They no longer exist in imaginary space, but in our own space. They not only fill space, they actually create the surrounding spatial relationships. Like the greatest religious sculptures of the past—Michelangelo's *Rondanini Pietà,* for example—, they impose upon their surroundings the aura of a privileged, one may perhaps even say, a sacred space.

fig. 11
Elie Lotar. 1965. Bronze. Collection Annette Giacometti

Some Continuing Compositional Ideas in the Sculpture

Modern interpreters are reluctant to go beyond the historical and formal analysis of a work of art, since so many verbal fantasies have discredited the legitimate search for meaning in art. The preliminaries for such a search for meaning, which are the study of formal solutions, often become the not very relevant end of art criticism.

Thus Giacometti's oeuvre cannot only be examined from the formal point of view. We have already seen, for example, that the extreme slenderness and elongation of his figures are significant for the ideas about perception that they represent. But this can hardly be all that there is to be said. In this context it is important to point out that these formal characeristics are not at all related, as has often been proposed, to ideas of famine and the miseries of war or concentration camps. Nor do the figures, isolated on their bases or confined to a cage, express fashionable concepts of "existential solitude" or "the anxiety of modern man."[35] Giacometti made it clear, in interviews in 1962, that solitude was the very opposite of what he intended,[36] and that anxiety is the constant state of man.[37]

It would not be difficult to give an allegorical reading of certain pieces whose titles invite philosophical speculation, or whose sculptural forms lend themselves to metaphorical interpretations. The *Figure between Two Houses,* 1950, (cat. no. 28) for instance, is a woman visible in the center glass box walking from a bronze box at left, into which we cannot see, to another bronze box, into which we cannot see, at right. This figure could be described as a metaphor for life originating in the unknown and proceeding towards the other unknown which involves the certainty of death. In the 1950 Pierre Matisse Gallery catalogue, Giacometti called the sculpture a "figure in a box between two boxes which are houses." An unverified rumor even specifies the "houses" Giacometti was referring to and implies that a 1945 newspaper photograph of a nude woman chased from a cell block to the block of the gas chamber actually inspired the artist to do this work. Even if this were true, the sculpture would not be a mere representation of the ordeals of the concentration camps, but a glorification of Life as embodied in this woman. The figure in some casts is painted in flesh tones to express her vulnerability, and in at least one cast is gilded to represent her precious essence, like a golden Egyptian burial figure.

This is not the place to analyze the metaphorical meaning of each of Giacometti's compositions. Struck by the fact that a few sculptural themes—among which are representations of walking women—recur at different periods in Giacometti's sculpture, we rather ask what their unifying idea is. We try to analyze the metaphorical imagery in order to formulate the fundamental myths which they embody.

The walking woman between the two houses seems to have something in common with the *Walking Woman* of 1932—but what does the triangular cavity under the bust of this figure signify? Both seem related to the seated figure "holding the void" of *The Invisible Object,* 1934, (fig. 8) *Mother and [Walking] Daughter,* 1932, *Tightrope Walker,* 1943 and *The Night,* 1947,[38] a sculpture of a woman walking on a sarcophagus-like pedestal and conceived as a project for a monument for the French Resistance. The common theme is continued in *Woman on a Boat*, 1950,[39] a composition again reminiscent of Egyptian burial figures on boats, and finds its last realization in *Chariot*, 1950, about which Giacometti wrote: "In 1947 I saw the sculpture as if it had been made in front of me, and in 1950 it was impossible for me not to execute it, although it was then for me already situated in the past." Giacometti proposed the *Chariot* for a war memorial commission in Paris at the moment he had developed new formulations for the expression of his ideas in the figures of women. What these works have in common is a vision of on-going life. This was, in fact, the formula inscribed in French "*La vie continue*" on a now lost plaster composition, which is recognizable in the left foreground of the drawing *My Studio*, 1932: it shows a pregnant body, similar to *Caress*, 1932, its back turned to an open grave.[40]

From 1950 on, Giacometti's female figures were no longer represented as walking or moving. The artist compared them to tall trees, as in *Three Figures and a Head (The Sand)*, *Seven Figures and a Head (The Forest)* and *Nine Figures (The Glade)*, all of 1950 (cat. nos. 32, 33). In some of Giacometti's rare color crayon drawings the theme of a man staring up into a tree several times his size recurs, for instance *Little Figure, Large Tree*, 1962. Giacometti also used this same motif for the gate-grill of the E. J. Kaufmann mausoleum at Bear Run, in the park of Frank Lloyd Wright's house built over a waterfall. The site was too significant for the motif to be merely decorative.[41] With this iconographical background, the evolution from "pregnant body" to "walking woman" and "woman on a boat" or "woman on a chariot," and the equation of "standing woman" with "tree" and with the myth of Life becomes clear.

The man looking at a tree reminds one, of course, of the male busts which are—in *The Sand* and *The Forest*—mounted on the same platforms as the tree-like women; the combination of a standing woman and a staring head of a man is even more effective in another work of 1950, the *Cage* (fig. 12). It

fig. 12
The Cage, detail, 1950. Bronze

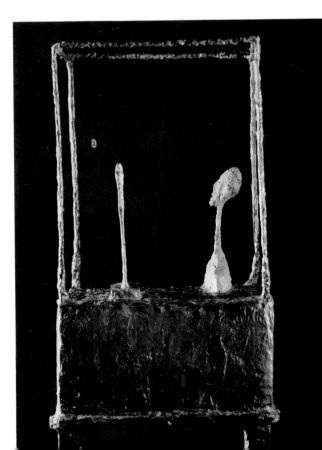

fig. 14
Moon-Happening (Lunaire). c. 1933. Ink.
Collection Aimé Maeght, Paris

fig. 13
1 + 1 = 3. 1934. Plaster. Private collection

seems to express one of the faculties of man, the faculty of thoughtful contemplation or even of visionary understanding, which belongs to a seer or an artist, or to the artist as seer.

Of the innumerable series of Giacometti's sculptures of heads, two are of particular interest in this context: The *Monumental Head,* 1960, (fig. 10) and the *Cube,* 1934, (cat. no. 19). For the *Cube* is, as Giacometti once said to James Lord,[42] a head. It was exhibited in Lucerne in 1935 with the title *Partie d'une sculpture* ("part of a sculpture"), placed on a specially made pedestal, as shown in Giacometti's sketch in the Pierre Matisse catalogue of 1947.[43] On one of its facets the artist engraved a self portrait. The *Cube* is thus the support for a portrait and, as such, a sculptural representation of an art-work; it is the sculpture of a portrait-head on a base. (The *Monumental Head* of 1960, which, incidentally, is the same size as the *Cube,* is also represented on a base which rests on a plinth, and both elements are integrated with the sculpture.) I do not know what other elements were supposed to be included in the composition of which *Cube* was a part. In the same year Giacometti had made a conical figure of a pregnant woman with the self-explanatory title *1 + 1 = 3* (fig. 13) about which he wrote in 1947: "A last figure, a woman called *1 + 1 = 3,* for which I found no acceptable artistic solution." That these two sculptures were meant to form a composition, together expressing the opposition of Art (artwork, the artist) and Life is only a hypothesis, but at least the theme can be documented by the drawing *Lunaire,* 1933, (fig. 14). At the upper left is a desembodied human head; at the lower right is a stereometric form very much resembling the *Cube.* The whole sheet, except for the human head and a facet of the abstract form, is carefully cross-hatched and resembles an engraving. Dürer's engraving *Melancholy I,* 1514, was, in fact, the source for Giacometti's *Cube;* one has but to reverse Giacometti's composition to see that the two polyhedrons are identical. As Erwin Panofsky demonstrated,[44] Dürer's *Melancholy I* is an allegory of the artist's condition and melancholy temperament. Giacometti's drawing also refers to the series *The Sculptor's Studio* from Picasso's *Vollard Suite*. In one of these etchings, *Model and Monumental Sculpted Head,* April 1, 1933,[45] Picasso shows a nude woman opposite a gigantic sculpture of a bearded head, a composition which is quite similar to that of *Lunaire*. In another, *Sculptor and Kneeling Model,* April 8, 1933,[46] a bearded artist contemplates his nude female model and an overturned sculpture of a male head lies in the lower right corner. The sculptor's pose is visibly derived from the pensive angel in Dürer's *Melancholy I;* while Dürer's allegorical figure looks at the cube, Picasso's artist contemplates the living model, having thrown his sculptured self portrait to the floor. It is a combination of these elements which reveals the meaning of Giacometti's work.

Other quotations of Dürer's *Melancholy I* can be found in the *Table* (fig. 7). Here the polyhedron on the left is opposed to the bust of a veiled woman, and placed together with a stylized human hand and a bowl similar to the bowl on the table in the foreground of Picasso's *Model and Monumental Sculpted Head*. Giacometti's *Table* is obviously an artist's work table, and quotations from works by modern artists, such as Brancusi, Léger, Laurens and especially Magritte, make the meaning more pointedly contemporary.[47] The original plaster of the *Table* contained a mortar and pestle,[48] at least an erotic *piquanterie,* and perhaps a reference to a broader theme. This element is missing in the bronze cast. Since the *Table* was made for the Surrealist Exhibition at Pierre Colle in June 1933, the work not only contains the opposition of art and reality in allegorical form—the opposition of "bodies that attracted me in life and the abstract forms which I felt were true in sculpture," as Giacometti wrote in 1947—but places the artist's world (his work table with the evidence of his occupation) in an exhibition room where living people looking at it would oppose reality to art.

In this period, Giacometti used sculptural abbreviations to oppose to man's faculties for contemplation and creation, his capacity for procreation. In *Three Figures Outdoors,* 1929, (fig. 4) two males, characterized by two spheres (heads) and two spikes (phalli), aggressively approach the sculptural sign for woman. The theme is even more dramatically formulated in the *Cage,* 1931. The shape of a sphere recurs in *Suspended Ball,* 1930, a composition which should be compared to Rodin's *Eternal Idol,* 1889,[49] where a man, kneeling in front of a reclining woman, his hands behind his back, leans his head forward to kiss her, without actually touching her. This relationship between the sexes found an equally powerful expression in Giacometti's *Circuit,* 1931 (fig. 5) where a sphere, endlessly moving around the groove carved in the wooden board, will never reach its goal, the cavity outside the circuit. In *Palace at 4 a.m.,* Giacometti represented himself—according to his poetic account—as a combination of a sphere and a phallic stele, placed in the middle of the construction between a mother-figure, at left, and at right an abbreviated human skeleton in a cage (a tomb) and a bird's skeleton—between procreation and death. This composition is, in fact, a sculptural adaptation of Boecklin's *Isle of the Dead,* 1880, in which the left and right sides are reversed. A phallic stele plus a half-sphere as sign for a man's head, as in *Man,* 1929, (cat. no. 16) plus a cone as cipher for a pregnant body are the main elements of *Model for a Square,*

1932 (fig. 2), together with a zigzag-shaped form which resembles a snake. That it really is a snake is clearly visible in one of the sketches of *Objets mobiles et muets*, 1931, as well as in Brassaï's photograph of Giacometti's studio of 1932,[50] which shows the same elements executed in plaster in monumental size. For *Model for a Square* was, in fact, a project for a monumental stone composition which was to be executed so that real persons could traverse it or sit on the bench-like form which also appears in *Model for a Square*.[51] It is difficult not to read this composition as a metaphor for the fundamental sexual and existential revelation as expressed in the biblical myth of the Expulsion from Paradise.[52]

In his pre-War period, Giacometti never came any closer to a complex mythical composition conceived as a large-scale monument. After the War, Giacometti's male figures—except the *Man Falling*, 1950—are always walking: *Walking Man*, 1947; *Three Men Walking*, 1948; *City Square*, 1948; *Man Walking Quickly under the Rain*, 1948; *Man Crossing a Square*, 1949 (cat. nos. 22, 24, 27). They share with the sphere of *Circuit*, 1931, the condition of being always on their way. The most complex of these compositions is *City Square*, (fig. 15) which has more in common with *Model for a Square* of

fig. 15
City Square, detail, 1948-49. Bronze

29

1932 than the mere similarity of titles. But before attempting any further interpretation, we must consider the fact that between 1935 and 1946 Giacometti studied the phenomenology of reality. He had ceased to do conceptual sculptures and began to work after nature out of "the desire to make compositions with figures." If the phenomenological studies were undertaken in view of compositions with figures, then their final result—the massless, weightless and elongated sculptures after 1946—is not only pertinent to problems of perception and style, but to the inherent meaning of the compositional projects. We fully understand the attempt to make the figures of *City Square* become doubles of reality when living persons are confronted with them. Then the viewer recognizes in the art work an expression of his own condition, in the same way a real person would have recognized his mythical ancestors in a monumental enlargement of the 1932 *Model for a Square*.

As a consequence of this, we understand *City Square* essentially as a model for a monumental project, and the *Walking Men* and *Standing Women* of 1947-49 as life-size studies for such a composition—Giacometti, in fact, wrote "studies"[53] on the back of photographs taken of them. When Giacometti, many years later, looked at *City Square* in the Kunstmuseum Basel, he stood very close to the sculpture and saw the figures at eye-level.[54] Seeing the work in this way, one shares the figure's space; one no longer perceives them as tiny, but as life-size and the confrontation becomes a convincing, life-like experience. The viewer becomes a part of the composition.[55]

Fortunately, the meaning of this composition of four walking men placed so that their paths will not cross the spot where the motionless woman stands can be documented by Giacometti's own remarks:

In the street people astound and interest me more than any sculpture or painting. Every second the people stream together and go apart, then they approach each other to get closer to one another. They unceasingly form and re-form living compositions in unbelievable complexity.[56]. . . The men walk past each other without looking. Or they stalk a woman. A woman is standing and four men direct their steps more or less toward the spot where the woman is standing.[57]. . . It's the totality of this life that I want to reproduce in everything I do.[58]

The "totality of life" is the closest verbalization we can propose for the mythical dimension of Giacometti's compositional ideas. We do not feel that this "totality of life" refers only to a situation in the present, but to a universal Present. This would have been the theme of the Chase Manhattan project.

In 1958, when the Chase Manhattan Bank considered placing a sculpture on the Plaza in front of its new office building in New York, one of the proposals was to ask Giacometti for a monumental enlargement of his *Three Men Walking*. This enlargement would have included its platform and base.[59] The artist could not agree,[60] since base and platform characterize the *Three Men Walking* as a small scale model for a plaza composition which, when executed in monumental size, should place the figures directly on the pavement of the real plaza, with only small plinths necessary to make them stand. Giacometti submitted instead a new composition, for which he made the small model figures in 1959 and the large *Standing Woman, Walking Man* and *Monumental Head* mentioned in our introductory chapter, in 1960.

We are now familiar with the metaphorical background of each of these elements and can understand the mythical meaning of the group as a whole. It contains in a single project the themes of several earlier compositions. The *Standing Woman* is not merely an enlargement of the *Standing Woman* of 1947-49, but includes the meaning of the earlier walking and moving women and of the tree equation of 1950. The *Walking Man* is not only man forever on his way, but because of his life-size and his stylistic treatment as "double of reality" he is the double of all the people crossing the Chase Manhattan Plaza. The *Monumental Head* is a sculptured head on a pedestal—at once an art-work, an allegorical portrait of the artist contemplating and "seeing" and —as a formal quote of the Roman *Colossal Head of Constantine*—represents Man's cultural heritage.[61]

When Giacometti placed the small model figures on the blueprints of the site, he told Gordon Bunshaft, the architect, that they could be put anywhere on the Plaza. He later said of his sculptures at his retrospective in Zurich in 1962 that they could be left wherever the deliverymen would put them.[62] This means that he had resolved the problem of sculptural perspective in advance, having conferred by means of his style, upon each sculpture the effect of distance and the imprint of the spectator's point of view. This, in fact, is one of the magnificent achievements of *City Square* of 1948, which "works" from all sides. It is one of the problems he studied anew in the compositions of the *Squares*, 1950, which he also called *The Sand*, *The Forest* and *The Glade*. This inherent sculptural perspective would have been the key element in making the Chase Manhattan group "work" on a site dominated by skyscrapers. It would also have made the group meaningful in its context with real people, because it is an imaginary, a spiritual perspective. That Giacometti, however, carefully arranged the installation of the group at the Venice Biennale of 1962—and that his brother Diego supervised its installation at the exhibitions in Paris in 1969, and Rome in 1970—does not contradict this idea, for the problem was then to make the group meaningful among all the other works in these retrospectives.

For several reasons the Chase Manhattan project was not realized. One of these may have been artistic: the commission for the project came at a moment, when the theme of a complex composition with several figures was for the artist "already situated in the past," to quote the words Giacometti had used about *Chariot*. The *Women of Venice*, 1956, are, in fact, the only group composition together with the *Project for a Monument to a Famous Man*, 1956. From 1954 on, Giacometti had concentrated on single standing or seated figures and busts, and mainly on drawing and painting. And after the period of transition, 1956-58, a new concept of the figures as well as of space, had emerged. But as late as the summer of 1965, experimenting with some new painting materials that a painter-friend had prepared for him, Giacometti sketched, as if it were his personal emblem, a "seeing" head in the foreground looking at the visionary scene of a motionless standing woman placed very far away and a walking man crossing the empty space of a Callot-like city square.[63]

In sculpture, Giacometti no longer needed metaphorical compositions to express the mythical power inherent in his latest *Busts of Diego* and *Busts of Elie Lotar*, 1964-65. They remind us of Samuel Beckett's novels—especially of *The Unnamable* of 1953—where there is nothing but a speaking "I" at the focal point of space and time; an "I" which relates to no myth, unless it ceaselessly narrates its own history and myth; an "I" whose existence is pointless unless the urge to think and speak, draw, paint and model, see, care and love is understood as the force engendering the courage to go on living. This is what Alberto Giacometti expressed poetically as his reality in a short text of 1957, *Ma réalité.* Art, reality and the myth of Life became one.

Giacometti as Painter

Giacometti's personal and unprecedented way of seeing things led to a painting style as original as that of his sculpture. Because Giacometti was a painter's son, he had to negate his early training and reinvent the medium for himself. His painting, consequently, falls into two main periods: the relatively derivative years before 1933-35, and the epoch of his major paintings after 1935-37. Each period is distinguished by clearly discernible characteristics, the most obvious of which are the use of color and his treatment of pictorial space.

The stylistic evolution of his father Giovanni and his godfather Cuno Amiet had been a reflection of the development of Impressionism into Post-Impressionism and Symbolism, Fauvism and Expressionism. Growing up with this artistic heritage, the young Giacometti understood that painting was essentially the use of color in its structural, representational, compositional and expressive functions. In the winter of 1919-20, his teacher at the Geneva Academy, David Estoppey, a plein-air painter who had become a Divisionist, taught him a more subtle brush handling than he had formerly employed. But for several years Giacometti continued to utilize Post-Impressionist arrangements of color planes to create pictorial space, and to model according to a Cézannean technique of building up volume with a patchwork of complementary colors and highlights.

When Giacometti arrived in Paris in 1922, painters there had long since adopted Cubism and its revolutionary means of replacing illusionary three-dimensionality in painting, and the Dada spirit was almost at the point of transformation into Surrealism. But these movements were of little use to Giacometti at this moment, since his preoccupation was to achieve more structural solidity in his painting than Divisionism allowed. He therefore studied Cézanne more closely. After 1925, he seems to have given up painting in Paris altogether, although he continued to paint portraits and landscapes when he returned each year to Stampa. There he experimented with solutions he had reached in sculpture, as seen in the series of portraits of his father made between 1927 and 1932 (for example, cat. no. 49) which should be compared to the various bronze *Portraits of the Artist's Father* of the same period (cat. nos. 7, 8). In other paintings he still adhered to the Post-Impressionist style,[64] or emulated the elegant academicism of one of his new Parisian friends, Christian Bérard.[65] These works leave no doubt about his qualifications as a genuine painter. Yet he had failed so far to find original post-Cézannean solutions to the problem of representing imaginary volumes and their surrounding space on the two-dimensional picture plane. This provoked the transition from the first to the second period in his painting.

Surrealist pictorial space—whether that of Miró's conceptual fields, or Tanguy's deeply recessed perspectives—did not offer him solutions to the problems he faced in painting in the mid-thirties. Nor was abstraction a viable alternative, since Giacometti wanted to represent real objects seen in real space. There are, to our knowledge, no Surrealist paintings by Giacometti, and only a few Surrealist drawings, together with some poems.[66] As in the evolution of his sculpture, studies after nature brought about a radical change in Giacometti's painting. But we know of only one oil sketch from the years between 1933 and 1937; a standing nude with a strictly frontal pose, the hands close to the hips, and in the background a painted sculpture of a standing woman on a high pedestal, both of which are obviously studies for a sculptural project (fig. 16).[67]

fig. 16
Study. c. 1935-36. Oil. Private collection, Switzerland

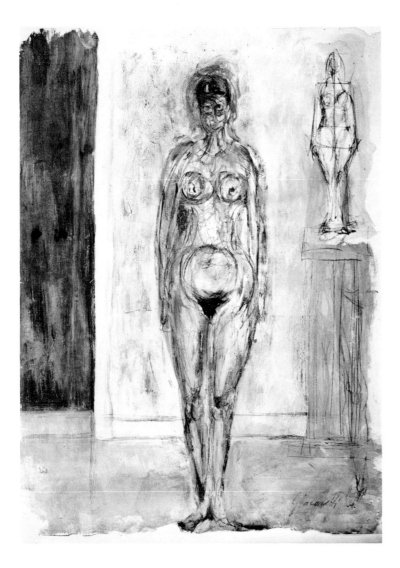

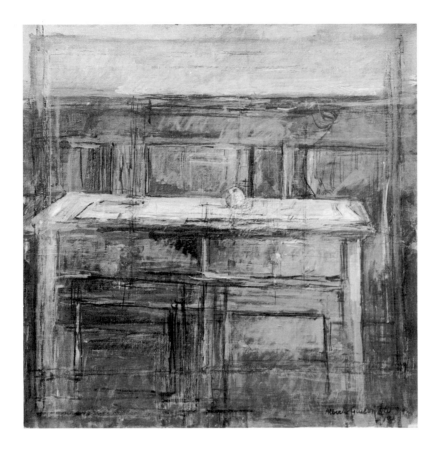

fig. 17
Apple. 1937. Oil on canvas. Private collection

fig. 18
Portrait of the Artist's Mother. 1937.
Oil on canvas. Private collection

In 1937, Giacometti painted two masterpieces which contain the germs of every problem he was to deal with in his subsequent painterly evolution and reveal, as well, the full measure of his capacities as a painter. These are *Apple* (fig. 17) and *Portrait of the Artist's Mother* (fig. 18). In the treatment of subject matter and brushwork, Giacometti relies on Cézanne's methods. However, the space-concept, the use of grays and beiges as signs for imaginary space and the almost strict frontality, which at once emphasizes the picture plane and transcends it by making the figure seem almost to step out of the canvas, are Giacometti's innovations. It would be an exaggeration to say that the figure in *Portrait of the Artist's Mother* seems almost to sit in front of the canvas, but a tendency toward this idea, later to become fundamental to his painting, is certainly discernible. He pursued this treatment of space as an alternative to Cubism. The construction of the head's volume relates basically to Giacometti's post-Cubist drawings. The figure is modelled as if light were falling on it asymmetrically;[68] the shoulder on the left casts a shadow on the background, thus creating an effect of space behind the figure; white paint is used for highlighting, a technique Giacometti never completely rejected. But there are also zones of white beside the elbow on the left which represent neither light nor the continuation of the shadow on the wall: they are early indications of Giacometti's use of white and gray as non-colors to create pictorial space. Many of the vertical and horizontal lines, seen also in *Apple*, have no representational meaning, but are vehicles to create, as in a drawing, pictorial space.

No paintings seem to exist from the years 1938 to 1945, the period in which Giacometti concentrated upon drawing to explore the rendering of objects perceived at a distance. The year 1946 brought a new start exemplified by *Yellow Chair in the Studio* (fig. 19). Chronological subdivisions of Gia-

fig. 19
Yellow Chair in the Studio. 1946. Oil on masonite. Collection Mr. and Mrs. Herbert Lust

cometti's subsequent painterly oeuvre can now be proposed, based on his techniques for creating pictorial space. The suggested dates of these subdivisions should not be understood as absolute limits.

The real subject of the paintings of 1946 to 1949 is space, this three-dimensional matter which has neither substance nor color, which is a sharply felt presence, but can only be negatively located between and around the objects which obstruct it. The simple subject matter—a corner of the studio with furniture or a human figure presented at the same level of interest as an inanimate object and usually placed in recessed space—is primarily used as a vehicle to represent space. These sketchy oils are rather like drawings on canvas, with accents of colored lines usually on gray or brown backgrounds.

From this point on, Giacometti's grays should be understood primarily as a means to indicate both interior and exterior space, and not as the rendering of atmospheric effects or a carrier of mood. They are conceptual in quality—like the black with which Giacometti drew lines of construction, and the whites he used to indicate lights, highlights and projecting elements like the tip of a nose. The pervasive aspect of gray, beige and brown became Giacometti's painting style at the same time dematerialized figures became his sculptural style. This use of neutral non-color is accompanied by the nonrepresentational use of short lines, which sometimes accumulate to form a web between and crossing objects. The lines may stand for the traces of the perceiving artist's eye, swiftly and incessantly moving around the composition from one object to another, measuring the distances between them. Similarly, the dark construction lines indicate the act of observing objects rather than defining outlines.

Around 1948, rapid foreshortening of parts of figures or objects became Giacometti's method of rendering visual perspective. The legs of a seated person seem too large, and the head, recessed in space, seems too small in proportion to the torso. But we say "too large" and "too small" only in comparison to the traditional standards of figure painting and according to our preconceptions of the objects. In attempting to paint an object receding in space as the eye actually perceives it, free of involuntary mental correction, Giacometti arrived at a "distortion" of proportions similar to that of the camera lens which records foreground objects as seemingly too large.[69]

In the early fifties a technique became predominant which Giacometti had always employed to some extent and which actually can be traced to Hodler. This was the use of lines parallel to the edges of the canvas to frame the composition. These border lines delineate the artist's field of vision when his attention is fixed on the object in the center of this field and help bring the painted motifs into proper relationship to the size and shape of the support. The inner framing is thus the mediator between the Imaginary—the painted object in its imaginary space and in its true phenomenological size—and the Real, namely the whole painting as a picture and as part of our real space.

This mediating function became even more pronounced when Giacometti transformed the inner framing into flat border zones or a multitude of concentric borders, which resemble the actual frame of a picture or a mirror. To interpret the painted border as a suggestion of a mirror frame is of paramount importance. If the image is seen as a reflection on the plane surface of a mirror, it can be presented through traditional means of illusionary perspective without violating the two-dimensionality of the pictorial surface. Giacometti thus created a new concept of pictorial space, which might be called "mirror space." Giacometti's mirror space does not pretend to be real, but is immediately understood as imaginary space. Because he was so absorbed in representing objects together with the space which separates them from us, the most significant result for Giacometti of this mirror concept was the impression that the figure depicted seemed to be double the normal distance from the viewer—as the distance between a real object and the mirror it is reflected in is also reflected and thus doubled. The distance between the painted figure and viewer cannot be nullified or reduced, since the figure seems to be located in the impenetrable space behind the mirror. Yet the original of this reflection seems to exist on our side of the mirror; the pictorial space seems to be the mirror-image of our own real space, thus providing the painting with a strong existential link to the viewer.

An equally important existential link is produced by the impact of the figures' strictly frontal poses and gazes. The precedent for these devices is found in Symbolist portraiture; they were used in Giovanni Giacometti's *Self Portrait with Segantini's Funeral in the Background,*[70] 1899, to express the idea that the artist must face his destiny alone after his master's death. Hodler definitively formulated the use of frontality in modern portrait painting. Alberto Giacometti progressed beyond Hodler, finding new techniques for rendering frontal figures, and conferring new meaning upon frontality. He brought the subject into an intense and real relationship with the viewer, paralleling cinematic effects to a certain extent. (Giacometti, in fact, often spoke quite critically of the illusionary quality of film.) When a filmed subject looks into the camera, his eyes are directly linked to those of the viewer, and the fiction of the filmed time and place is suddenly disrupted: the imaginary space of the screen seems to become a part of the real space of the room. The filmed subject is invested with the strongly felt quality of real presence and becomes, in Giacometti's own words, "a double of reality."

Around 1954, the problem of creating pictorial space became secondary to the representation of the figure as a believable reality. With a new technical approach, Giacometti now painted the figures as apparitions rather than as reflections of reality. He treated the canvas as if it were a magician's cloth, painting it with nebulous, incorporeal grays, ranging from dark to light shades. Heads or figures, delineated with a few black, gray and white strokes, appeared like unexpected magical phenomena out of the center of ambiguous backgrounds. We know from accounts of many models that Giacometti produced portraits very quickly, overpainting them with gray and recreating them several times during a single sitting. The finished work seems but the last in a series of equally accomplished states,[71] as documented in photographs of various stages of evolving works. In a way the act of painting itself was more important than the final result. Giacometti's goal was not to create ever greater physical likeness in his portraits, but to spontaneously create the apparition again and again, until it resembled, as nearly as possible, the living presence, perceived at one glance, of the model. Giacometti's credo was: "I am not attempting likeness but resemblance."

Giacometti's style of the mid-fifties may be characterized as the final embodiment of his phenomenological approach to reality. However different his paintings of the various phases of his evolution between 1946 and 1956 may be, in all of them the model was treated as a function of the artist's visual perception of it at a given distance. In 1956 a crisis ensued which lasted until 1958. It seems to have been triggered by problems he experienced while painting portraits of his Japanese friend Isaku Yanaihara. His oriental features called for at least a basic likeness and for a degree of personal identity which would not be entirely dependent on the artist's perception. Faced with Yanaihara's exotic physiognomy, Giacometti realized that the sitter's reality resided in himself rather than in the artist's concept of him as an apparition. Typically for Giacometti, this problem led him to reconsider the entire direction of his painting and brought forth a revision of his concept of pictorial space.

The series of portraits of Yanaihara painted between 1956 and 1961, (for example (fig. 20) reveal the development of Giacometti's last style. As in the bronzes, the painted figures seem more solid; the images more structured. The head is presented as a sphere made up of curved lines, which, however, rarely coincide with its outlines or features. The eyes, always important, are given even more emphasis; the model's gaze, in fact, is now the subject matter of the painting. Giacometti realized that the entire person participates in the act of staring. It is not the anatomical description of the eye, but the coherence of the complete face which confers upon the figure the force of a gaze—this living proof of the model's active existence. The gaze itself cannot be

fig. 20
Portrait of Yanaihara. 1961. Oil on canvas.
Collection Sheldon H. Solow

painted, but there, where the circling lines more or less leave the canvas untouched, the magical transformation of material painting into the immaterial presence of the gaze takes place.

The figures and half-figures of this last period are often mere sketches, richer in color than works of the preceding years. Giacometti created their plastic and spatial credibility through a combination of curved lines leading into depth, strong highlighting and modelling with a concentration of lines for the darker parts. The pictorial space is characterized by superimposed zones of beiges, grays and whites, which sometimes give the effect of a halo encircling the entire figure. The head of a frontally seated model—more distant from the viewer than the body—is drastically reduced in size and the torso, the hands on the lap and the knees in the foreground act as props to make the head recede even further. From this distant head an insistent stare is projected towards the viewer.

The intensity of the model's gaze together with its frontality, confer upon Giacometti's late portraits the spiritual power of a sacred image. Giacometti's ultimate achievement as a painter consists in the treatment of a portrait as a secular icon. In this respect he differs greatly from Cézanne. A *Portrait of Caroline*, 1962-1965, may share with a *Portrait of Madame Cézanne*[72] the general compositional arrangement, the half-figure pose, though Cézanne's models are never strictly frontal. In both paintings the oval curves formed by the arms lead from the foreground into the middleground. These similarities may not be completely fortuitous,[73] but the effect is very different. Cézanne had Madame Cézanne pose for him to allow him to make a good painting, complete and satisfying in its formal qualities and in its representation of the models features and personality. Giacometti, on the other hand, used all the means of his artistic medium to give back to the model its unique presence: to create a spiritual double of Caroline. He made of Caroline a sanctified Madame Cézanne.

Giacometti's late paintings are among the masterpieces of modern art, for in them are combined the qualities of all great painting: the abstract beauty of painterly means, unceasing intensity of execution and, above all, the inexhaustible spirituality of the subject.

Giacometti as Draftsman

As a boy, Alberto Giacometti thought of his pencil as his weapon. He took pride in the fact that he could draw absolutely anything and that he could do it better than anybody else. A painter's son growing up in a farmers' village, his superior talent for drawing provided him with self-assurance and special status among his peers. He drew after nature with great skill and surprising economy of means, and passionately copied Dürer's engravings and Rembrandt's etchings in the minutest detail. At the age of ten, he even signed some of his drawings with an arrangement of his initials borrowed from Dürer's monogram. His intimate and special relationship to drawing was part of him for the rest of his life.

The style of *Self Portrait,* done at the age of seventeen, which impresses us in its maturity, reflects his father's use of hatching with thick or thin lines. The young Giacometti also adopted Hodler's practice of rendering objects with an accumulation of delicately suggested lines rather than simple outlines, thus creating a feeling of volume without definite demarcations. He also began to draw inner frames around his motifs.

During his studies in Paris, Giacometti surpassed his friends in his facility in arriving at correct proportions by placing marks at key points of shapes and connecting them with straight lines to divide volumes into planes or facets. The effect of this boxing in of the object is rather academic and does not render the appearance of reality. He abandoned this technique around 1925 but used it again in 1935-36, to prevent his heads from dissolving as he studied them.

From approximately 1931 Giacometti cultivated two different drawing styles. In Paris, when sketching the themes of his Surrealist sculptures or contributing to Surrealist publications, he preferred a lean outline, like Picasso's or Masson's. In Stampa, however, he began to explore the phenomenological rendering of objects in front of him, a process revealed in a significant anecdote Giacometti told David Sylvester. He was copying pears on a table from the distance normal for still-life drawing, yet the pears came out extremely small in the middle of the sheet of paper. His father grew angry and said: " 'But start doing them as they are, as you see them.' . . . Half an hour later they were exactly the same size to the millimeter as the previous ones."[74]

Very small heads in the center of a sheet are also characteristic of Giacometti's drawings of the later forties. They do not indicate a partial use of the paper, as they would if they were traditional sketches, but result from the identification of the whole sheet with the artist's field of vision.

Figure drawings of 1945-46, however, more often show the model as extremely tall, dematerialized with blurred lines, as if out of focus; these are the studies that led Giacometti to his post-War sculptural style, which consequently may be characterized as drawing in space. Drawing was thus essential to Giacometti's stylistic evolution, but, more than that, it was essential to his perception. Making copies of art works was his way of reading and understanding them. Drawing incessantly from nature was his way of relating to, and recreating the objects of his perception.

Many drawings of the mid-fifties give the impression that the lines are but traces of the moving eye, rather than outlines. With the calculated use of the eraser, Giacometti created smudged gray areas outside or within the contours, creating an effect of immateriality and space surrounding the objects. Erasures in the eyes of a portrait head also served to confer on his drawings the appearance of life in the gaze. The untouched areas of the paper function at once as neutral support for the drawing and as the imaginary substance of the subject and its surrounding space—a characteristic, of course, of all great draftsmanship. Later drawings excel in a rhythmic and almost abstract use of oval curves which surround, rather than delineate the motifs, a technique again reminiscent of Hodler, and especially of Cézanne. In his very last years, Giacometti's swift, uninhibited and caricature-like drawing style recalls Toulouse-Lautrec's. But the drawings of the last two decades reveal, above all, Giacometti's distinctive and unique style in their graphic complexity and beauty. They are meant as art works complete in themselves and, as such, are widely appreciated. The motifs are taken from the artist's surroundings in Paris and Stampa: interiors, still lifes, landscapes. A surprisingly great number depict Giacometti's sculptural works not only because they were objects in his studios, but as one of the essential themes in his drawing. He also incessantly filled scraps of paper with sketches of his sculptural motifs, his models drawn from memory and accounts of his procedures for rendering heads. The most comprehensive representation of his studio is the panoramic view on two sheets of paper made in 1932. These drawings, a gift for the Countess Visconti, contain minute descriptions of each piece she had seen during visits to the studio, which—according to the dedication line on the bottom of the larger sheet,—"to my great pleasure you did not find distasteful."

Giacometti drew other notable "inventories" of his sculpture and studio for the catalogues of his exhibitions at the Pierre Matisse Gallery in 1948 and 1950, and at Maeght in 1951, the latter drawn on transfer paper. It is as if Giacometti, who constantly destroyed what he had modelled and painted and ceaselessly evolved towards new visions and goals, used drawing to preserve his achievement and confer unity upon his life and work.

Giacometti as Printmaker

Giacometti's graphic oeuvre is considerable, although he was not preoccupied with the print medium itself. Like so many other artists, he learned etching in the studio of Stanley William Hayter, the British printmaker working in Paris. There, in 1933 and 1934, Giacometti made three etchings—each as unique artist's proofs or in an edition of not more than three—after three of his sculptures: *Cubist Head, The Invisible Object* and *Table*.[75] Other prints were made as illustrations for the original editions of René Crevel's *Les Pieds dans le plat,* 1933 (one engraving) and André Breton's *L'Air de l'eau,* 1934 (four etchings[76]). The linear execution and Surrealist imagination of these prints were much influenced by André Masson's illustrative drawings. In 1935, Giacometti contributed an etching for one of the most important avantgarde print portfolios of this period, Anatole Jakovski's 23 *Gravures*. In it, Giacometti combined some of the symbolic forms of his sculptures of 1930-33.[77]

No etchings seem to have been produced between 1936 and 1947, when the artist was asked to illustrate Georges Bataille's *Histoires des rats* and Pierre Loeb's *Regards sur la peinture*.[78] His prints were independent works with subjects drawn from his surroundings (his studio) and current motifs. An uninterrupted series of etchings and lithographs followed, published as illustrations and hors-text suites in art periodicals, exhibition catalogues and literary publications.

From 1951 on, the lithographs, conceived as individual prints, greatly outnumbered the etchings. The original drawings for these lithographs were made with lithograph crayon on transfer paper rather than on stone. Using a technique which did not allow for erasures was a challenge for Giacometti. However, his primary concern was not with the unique demands and qualities of the print medium, but the presentation of his subject matter—his studio filled with sculptures, interiors with his wife and brother, and the familiar rooms and landscapes of Stampa. Other artists like Picasso and Rouault were actually more sensitive to the print medium than Giacometti.

Yet, during his last years, Giacometti executed a print series which revealed his technical mastery of the medium. This series is the album *Paris sans fin* (*Paris without End*) (fig. 21) commissioned by E. Tériade in 1957 and published in an edition of 250 in 1969 after Giacometti's death. The portfolio consists of 150 lithographs and a very personal text by the artist.

The text was originally supposed to fill between 16 and 20 pages. In the finished book, however, six pages are left blank, which gives it the appearance of a fragment, although Giacometti had brought it to the point where nothing remained to be said. Its fragmentary character and spontaneous and ostensibly unselective content is as deliberate a stylistic decision as the seemingly random selection of views of Paris. Giacometti chose scenes of Paris that were intimately connected with his life there: his living quarters and his studio, his street, his neighborhood café, Montparnasse, friends and acquaintances, erotic scenes, exhibition halls, parks, docks—Paris without end. Some of the views through restaurant windows demonstrate an interesting use of letters to distinguish and animate exterior and interior space.

The portfolio was often left untouched in the studio for weeks or months at a time. During these months, the project changed in scope and meaning, as the artist himself changed. He wrote:

> There are 30 lithographs on my bed which have to be redone for the book that I abandoned two years ago; I tried to take up some motifs as before: street scenes, interiors—I don't like them any more. Where and how could I repeat them? Paris for me is only this: The attempt to understand a little better the origin of the nose in a sculpture."

These new feelings threatened the whole undertaking: "I could as well copy the back of the chair here, right in front of me . . . ."

As in his paintings and sculpture after 1958, a new spatial concept emerged. Giacometti hints in his text that there is also a new time concept. The quote continues:

fig. 21
Paris sans fin. 1969. Lithographs. The Ratner Family Collection, Ft. Lee, New Jersey

. . . or the little alarm clock, black and round on the table which fills—no, it does not actually fill the room, but which is like a spot from which originates everything one sees, the windows as well as the ceiling, the tree outside, where the blackbird sings early at dawn, or just before dawn—a song which in June of last year, 1963, was for me the greatest joy of the day, of the night . . . .

Thus we see that everything radiates from the alarm clock, once it has become the focus of the artist's attention. It is the focal point of both space and time, for everything—the experience of both the interior and the courtyard, as well as of both the present time and the remembrance of times past—springs from it.

Paris sans fin, together with the busts of *Annette* of c. 1960 to 1964, *Diego* and *Elie Lotar* of 1964 and 1965, and the paintings of *Caroline* of this period, forms Giacometti's artistic and personal testament. Giacometti left Paris for the last time on December 5, 1965. He was to die in Chur, Switzerland on January 11, 1966. Shortly before his last departure, he wrote these evocative lines as the last paragraph of *Paris sans fin:*

The silence, I'm alone here, outside the night, nothing moves and sleep takes over again. I don't know who I am, nor what I'm doing, nor what I would like to do, I don't know if I'm old or young, maybe I still have some hundred thousand years to live until my death, my past sinks in a gray abyss . . . .

In 1932—almost in the middle of his life—he had written metaphorically of his existence as a fragile palace which he built and rebuilt with matchsticks.[79] Now, at the end of his life, he concluded with these words: ". . . and those matchsticks dispersed on the floor, isolated here and there, like battleships on the gray ocean."

Reinhold Hohl

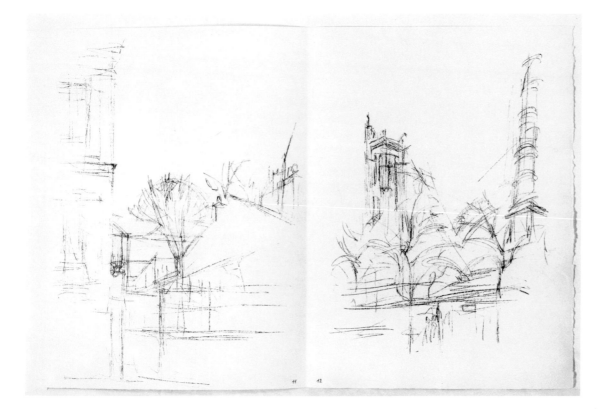

Notes

The author wishes to acknowledge how much he profited in his Giacometti studies from conversations with James Lord, Paris, who is currently writing a biography of Alberto Giacometti, and Michael Brenson, Gainesville, Florida, who is preparing a Ph.D. thesis on Giacometti's sculpture 1925-1935 for The Johns Hopkins University, Baltimore.

References which appear in the selected bibliography are given in abbreviated form.

1 Giacometti spoke about the impossibility of ever arriving at his goal in many interviews after 1960. See for instance: Ludy Kessler, *Conversation with Alberto Giacometti*, Swiss Television, Lugano, 1964; partially reprinted in Giorgio Soavi, "Il Sogno di una testa," *Playmen*, vol. III, Rome, January 1969, p. 153.

2 Information about Giacometti's Chase Manhattan project from a conversation with Gordon Bunshaft, New York, June 1973.

3 A discussion about the formation of this compositional idea follows in the chapter "Some Continuing Compositional Ideas in the Sculpture," especially pp. 28 to 31.

4 Lord, *L'Oeil*, 1966, p. 67.

5 Communication to the author from Gordon Bunshaft; also James Lord, see note 4, and Hess, *Art News*, 1966.

6 In a conversation with Ernst Beyeler, Basel, November 1965; verbal communication to the author from Mr. Beyeler.

7 See facsimile reproduction in the 1948 Pierre Matisse Gallery catalogue, p. 31.

8 Unpublished letters of Giovanni Giacometti to Cuno Amiet, January 30 and March 14, 1920. Cuno Amiet Archive, Mrs. Lydia Thalmann-Amiet, Oschwand, Switzerland.

9 According to the most pointed of various apocryphal accounts. See also the chronologies by George Mauner in the exhibition catalogue *Three Swiss Painters*, Museum of Art, The Pennsylvania State University, 1973, pp. 79, 128.

10 The translation in the 1950 Pierre Matisse Gallery catalogue unfortunately does not make a clear distinction between the two texts. What seems to have been the first text begins with the second paragraph of p. 5 and continues on pp. 6 and 9; the French original, accompanied by sketches, is on pp. 8, 10, 12, 14, 16, 18, 20, 24. "Today's letter" translated is on p. 3 and first paragraph of p. 5.

11 *Minotaure,* 1933.

12 "A propos de Jacques Callot," *Labyrinthe,* 1945.

13 James Lord, "Scarnificava la materia per cercare il segreto dell' uomo," *Bolaffiarte*, vol. IV, no. 29, Turin, April-May 1973, p. 56. In this context see also Giacometti's remarks about drawing a glass as reported by Sylvester, Tate Gallery, 1965, last page of the essay.

14 Carluccio, *Alberto Giacometti, A Sketchbook of Interpretative Drawings,* 1968, p. IX.

15 Clay, *Réalités,* April 1964.

16 *Le Rêve, le sphinx et la mort de T.*

17 Unpublished letter of March 1915. Cuno Amiet Archive, Mrs. Lydia Thalmann-Amiet, Oschwand, Switzerland.

18 See note 1.

19 This quality is already visible in the post-Cubist *Torso:* the groove on the back indicating the spine would not be found in a work by Laurens or Lipchitz, but is common in primitive carvings. Giacometti repeated it in 1934 on the back of the almost abstract tombstone of his own father in the cemetery of S. Giorgio di Borgonovo.

20 In his series of sketches *Objets mobiles et muets,* 1931, Giacometti, in fact, translated some of the "characters" in Miró's *Harlequin's Carnival,* 1924-25, Collection The Albright-Knox Art Gallery, Buffalo, N.Y., into projects for wire sculptures—not unlike Calder's wire constructions of around 1930—which he simply proposed to place on a table-like platform.

21 For a thoroughly documented discussion of the problem of bases in modern sculpture see Albert Elsen, "Pioneers and Premises of Modern Sculpture," *Pioneers of Modern Sculpture,* London, Arts Council, Hayward Gallery, July 20-September 23, 1973, exhibition catalogue.

See also Jack Burnham, *Beyond Modern Sculpture,* New York, Braziller, 1968, third printing 1973.

22 An interesting comparison can be made with Calder's wire construction *Motorized Mobile,* 1929, Collection The Hirshhorn Museum and Sculpture Garden, Smithsonian Institution, Washington, D.C. Whereas Calder's work is like a drawing in space, Giacometti's *Three Figures Outdoors* has the sculptural and emotional qualities of the grill-like Ivory Coast Senufo dancer's headdresses. Giacometti's *Suspended Ball,* 1930, extends Calder's *Motorized Mobile* into the three-dimensional space frame of a cage; the shape of the ball and the crescent were inspired by Picasso's drawing *Project for a Monument,* 1928, Private Collection.

23 *Point to the Eye,* 1932 (fig.22)—a pointed cone directed to a modelled skull mounted on the same platform—is in the same way a prefiguration of *The Nose,* 1947 (cat. no. 99), where it is the viewer's own eye which is threatened by the point

of the nose when standing in front of the sculpture. This development of a sculptural theme demonstrates the evolution of Giacometti's work from the Surrealistic model-situations to real Existential confrontations.

24 André Breton, *Documents 34,* June 1934.

25 Series of models at the Val de Grâce Museum, Paris.

26 *Circle, International Survey of Constructive Art,* Ed. J. L. Martin, B. Nicholson, N. Gabo, London, 1937. Reprinted, New York, Praeger, 1971, pl. 17, p. 297.

27 In the same period, the French philosopher Maurice Merleau-Ponty undertook similar phenomenological studies about perception; for the relationship between apparent size and the field of vision see his *Phenomenology of Perception,* 1945, English translation by Colin Smith, London, Routledge & Kegan Paul, 1962, 1967, pp. 259-261.

28 Photographs of the plasters in catalogue insert, *Derrière le miroir*, no. 39-40, Paris, June, 1951.

29 In formal analysis of *Head of a Man on a Rod*, one must—as for Giacometti's sculptures of the early thirties—refer to Oceanic works, namely New Hebrides human skulls, which were covered with wax, chalk and seashells and painted—as well as to modern art. It relates to the expressive silhouettes in Picasso's *Guernica*, 1937 and the stalk carrying a bull's head in Picasso's *Still Life with Red Bull's Head*, 1938, both Collection The Museum of Modern Art, New York, the latter a painting for which Picasso borrowed the overall composition and the polyhedron from Giacometti's *Table*, 1933. We think that the meaning of *Head of a Man on a Rod* is illuminated by a discussion of these formal origins.

30 Carola Giedion-Welcker, "Alberto Giacometti's Vision der Realitat," *Werk*, Winterthur, 1959, pp. 205 ff.

31 Sylvester, *The Sunday Times Magazine*, July 1965.

32 Giacometti constantly used the term "double of reality" and the formula "not likeness, but resemblance" in his later years. See for instance his conversation with Jean-Luc Daval, "Fou de Réalité: Alberto Giacometti," *Journal de Genève*, June 8, 1963.

33 Radio interview with Georges Charbonnier, Paris, R.T.F., March 3, 1951; reprinted in Charbonnier, *Le monologue du peintre*, Paris, Juillard, 1959, pp. 159-170. Also in many other conversations, the last one with Jacques Dupin in the film *Alberto Giacometti* by Scheidegger and Münger, 1966.

34 Luigi Carluccio, *op. cit.*, p. 141, pl. 52.

35 Such interpretations (by Jacques Dupin and Palma Buccarelli) were refuted by Kramer, *Arts Magazine*, November 1963.

36 Conversations with Italian journalists, quoted by Mario de Micheli, "E morto lo scultore Alberto Giacometti," *L'Unità*, Rome, January 13, 1966. Also in a later conversation with Lake, *The Atlantic*, September 1965, pp. 121-122.

37 Conversation with Grazia Livi, "Interroghiamo gli artisti del nostro tempo: Che cosa ne pensano del mondo d'oggi ? Giacometti," *Epoca*, no. 643, Milan, January 20, 1963, pp. 58-61.

38 See 1948 Pierre Matisse Gallery catalogue, p. 28 (ill. drawing *Tightrope Walker*) and p. 40 (ill. now destroyed plaster *Night*).

39 *Femme dans une barque*, 1950, Bronze, Private Collection, Paris. Paris, Orangerie des Tuileries, *Alberto Giacometti*, 1969-70, exhibition catalogue, no. 72, ill. p. 71 (dated 1950-52).

40 Photograph by Man Ray reproduced, *Cahiers d'Art*, Paris, 1932, p. 341, with caption *Chute d'un corps sur un graphique* (Fall of a Body onto a Diagram); sketched by Giacometti in the 1947 letter to Pierre Matisse and titled *Espèce de paysage—tête couchée* (Sort of a Landscape—Reclining Head).

41 On the tombstone for his own father, 1934, Giacometti had used the traditional Christian metaphor for the expectation of Eternal Life, sculpted in delicate relief: a bird on a branch next to a chalice; above the chalice is the sun, above the bird a star.

42 Lord, *A Giacometti Portrait*, 1965, p. 49.

43 Photograph of *Cube* with original base, *Minotaure*, no. 5, Paris, 1934, p. 42 (with caption *Nocturnal Pavilion*); reprinted in *Circle*, London, 1947; reprinted, New York, Praeger, 1971, p. 94, pl. 18. This photograph and Giacometti's sketch of 1947 do not show the engraved self portrait, which, for physiognomical and stylistic reasons, can be dated 1936-38.

44 Erwin Panofsky, *Albrecht Dürer*, Princeton University Press, 1948, vol. I, pp. 156-171.

45 Bloch Catalogue no. 170.

46 Bloch Catalogue no. 178.

47 Compare one of the front legs with Brancusi's theme *The Endless Column*; compare the female bust with Léger's watercolor *Woman and Table*, 1920, Private Collection, Germany, and the woman, as well as the mortar with pestle, with Léger's *Three Women*, 1921, Collection The Museum of Modern Art, New York. Bust and braid-like table leg refer also to Laurens' sculptures. The most important source for the table, the contrasting legs and the human hand, was, however, Magritte's painting *The Difficult Passage*, 1926, Private Collection, Brussels.

48 See reproduction in Dupin, *Alberto Giacometti*, 1962, pp. 214-215.

49 Plaster, Musée Rodin, Paris.

50 Reproduced in *Le Surréalisme au service de la révolution*, December 1931, pp. 18-19; Brassaï's photograph reproduced in *Minotaure*, no. 3-4, Paris, 1933, p. 47 f.

51 According to Giacometti's 1947 letter to Pierre Matisse.

52 Tanguy used similar elements in his painting *Genesis*, 1926, Claude Hersent Collection, Meudon; see Kay Sage Tanguy, *Yves Tanguy. A Summary of His Works*, New York, Pierre Matisse, 1963, pl. 26.

53 Photographs made by Giacometti's friend Charles Ducloz in the archive of Mrs. Carola Giedion-Welcker, Zurich; a tall *Standing Woman*, 1948, placed at Giacometti's request on the sidewalk of the rue Hippolyte Maindron, is reproduced in her book *Contemporary Sculpture: An Evolution in Volume and Space*, New York, Wittenborn, 1955, p. 94; revised edition 1960, p. 104.

54 Communication to the author from Dr. Carlo Huber, Basel.

55 Proceeding from this premise, the obligatory comparison with Rodin's *Burghers of Calais*, 1886, necessarily leads to a different conclusion than Albert Elsen's in his *Rodin*, New York, The Museum of Modern Art, 1963, pp. 86-87. Executed as a monument in life-size on a public square, and without the base, Giacometti's *City Square* would be very much like *The Burghers of Calais*, about which Rodin confided to Paul Gsell, that one of his original plans had been "to fix my statues one behind the other on the stones of the Place, before the Town Hall of Calais . . . [so that] the people of Calais of today, almost elbowing them, would have felt more deeply the tradition of solidarity which unites them to these heroes." (Rodin, *On Art and Artists*, New York, Philosophical Library, 1957, pp. 103-104.)—It is very likely that Giacometti was much more aware of Rodin's works than one will ever be able to document. Parallels in the works of both artists differ essentially in their iconographical dimension: Rodin's is more often historical and literary, Giacometti's philosophical and mythical.

56 Conversation with Jean-Raoul Moulin, quoted in J.-R. Moulin, "Giacometti: 'Je travaille pour mieux voir'," *Les lettres françaises*, no. 1115, Paris, January 20, 1968, p. 17.

57 Conversation with Pierre Schneider, quoted in P. Schneider, " 'Ma longue marche' par Alberto Giacometti," *L'Express*, no. 521, Paris, June 8, 1961, pp. 48-50.

58 See note 56.

59 See note 2.

60 Sigfried Giedion, "Alberto Giacometti," *Neue Zürcher Zeitung*, January 16, 1966.

61 The colossal head of a giant bronze statue of the Emperor Constantine —since 1594 at the Conservatori Museum on the Capitole where Giacometti saw it on a trip to Rome in, or shortly before, 1960—was of enormous political and cultural significance for the city. The head, placed on a marble pedestal, stood for centuries on the site which was to become the Piazza del Campidoglio, amidst other sculptural fragments, where people constantly moved. Whether Giacometti knew about the public site is not important; what is significant, is the striking parallel of the meaningful urban situation which he intended to create on the Chase Manhattan Plaza.

62 Verbal communication to the author from Bruno Giacometti, Zurich.

63 Collection Dr. Paolo Cadorin, Basel.

64 Examples are: *Farmer's Wife from Bregaglia*, 1928, Private Collection, Lugano. *Landscape near Stampa*, 1931, Collection Josef Müller, Solothurn; color reproduction on cover of *Der Schweizerische Beobachter*, no. 4, Basel, 1970.

65 For instance: *Portrait of Renato Stampa*, 1932, Collection Prof. R. Stampa, Chur.

66 When Giacometti followed the Surrealist practice of reshaping traditional paintings into Dada and Surrealist expressions (such as de Chirico's interpretations of Boecklin, Duchamp's *Mona Lisa* variation, Miró's *Dutch Interior* and Dali's "paranoid" readings of postcard views), he did so as a sculptor rather than a painter. He translated Duchamp's *The Passage from the Virgin to the Bride* into the plaster model *Project for a Passageway*, 1930-31, Collection The Alberto Giacometti Foundation, and Boecklin's *Island of Dead* into the stage construction *Palace at 4 a.m.*, 1932, Collection The Museum of Modern Art, New York, or Magritte's *The Difficult Passage* into *Table*, 1933, (fig. 7).

67 Private Collection, Switzerland. The model for this oil seems to be Rita Gueffier, an identification which allows the tentative dating of 1935 or 1936. Such elements as frontality, perpendicular light-source, interior walls and open doors parallel to the picture plane, as well as the ambiguous treatment of outlines, have precedents in Ferdinand Hodler's later painting.

68 The author gratefully acknowledges that he began to investigate the problem of Cubism and frontality in Giacometti's portrait-painting after a conversation with Jonathan Silver, New York, who in his unpublished essay "Frontality and

Cubism in Giacometti's Painting 1947-1951" (suggested by Meyer Schapiro, Columbia University, New York) presents Giacometti's paintings as an adaptation of, rather than an alternative to Cubism.

69 The Mannerists of the sixteenth century had created strange distortions and dramatic depth using this approach. Cézanne's *Boy with a Red Vest*—his seemingly too long arm reaching from the middle-ground into the foreground—is perhaps the most famous modern example of this representational device, and one Giacometti often spoke of; see for instance Carlton Lake, "The Wisdom of Giacometti," *The Atlantic*, Boston, September 1965, p. 123.

70 Musée d'Art et d'Histoire, Geneva.

71 Yanaihara, *Derrière le miroir*, 1961; Lord, *A Giacometti Portrait*, 1965, reproduces twelve of the sixteen states of *Portrait of James Lord*, 1964; Dupin, *Alberto Giacometti*, 1962, reproduces four states of *Head of Diego*, 1957.

72 For instance *Madame Cézanne in the Conservatory*, Venturi, no. 569 or *Madame Cézanne in a Red Dress*, Venturi, no. 570, both c. 1890, both at the Metropolitan Museum of Art, New York.

73 Giacometti's conversations abounded in remarks about Cézanne, and one may say that it was Cézanne's art that Giacometti challenged in his painting. See especially Georges Charbonnier's radio interview, Paris, R.T.F., April 16, 1957, published as "[Deuxième] Entretien avec Alberto Giacometti," G.

Charbonnier, *Le Monologue du peintre*, Paris, Juillard, 1959, pp. 171-183.

74 Sylvester, Tate Gallery, 1965. As told by Giacometti to Mr. Sylvester, the incident took place when the artist was eighteen or nineteen. It was so described in the "Documentary Biography" in my monograph on Giacometti, New York, 1972, p. 231. But since not one of the many surviving drawings done before 1925 shows traces of this phenomenological rendering, we discuss it here in the context of a later period. A painting by Giovanni Giacometti of 1931 shows Alberto in the family room drawing a plate of fruit (Giacometti Estate, Zurich; Köhler catalogue no. 421).

75 Verbal communication to the author from Michael Brenson after his interview with Stanley W. Hayter. Herbert Lust, in his *Giacometti: The Complete Graphics and 15 Drawings*, lists *Cubist Head* (L. 56, pl. 92) and *Hands Holding a Void* (L. 57, pl. 93).

76 Lust, *ibid.*, L. 76-79, pl. 112.

77 Lust, *ibid.*, L. 80 (as no. 7 instead of no. 8 in the album), pl. 113.

78 Lust, *ibid.*, L. 81-83, pl. 114; L. 85-91, pl. 115 (with the date of publication, 1950; Edwin Engelberts gives the date of execution, 1947, in his exhibition catalogue *Alberto Giacometti. Dessins, Estampes, Livres illustres*, Geneva, 1967, p. 51, nos. 26-29).

79 Commentary on *Palace at 4 a.m.*; see note 11.

Liste des oeuvres exposées

Remerciements

Cette grande rétrospective de l'oeuvre d'Alberto Giacometti, organisée par le musée Solomon R. Guggenheim a pu être réalisée grâce à la proposition inespérée d'emprunter aux musées suisses une quantité importante d'oeuvres. Par l'intermédiaire de la Fondation Pro Helvetia, et de son Directeur, Luc Boissonnas, le Musée Guggenheim a été mis au courant d'un projet d'agrandissement au célèbre Kunsthaus de Zürich, un des trois musées à bénéficier d'un prêt consolidé par la Fondation Alberto Giacometti. Le Kunstmuseum de Bâle, et le Kunstmuseum de Winterthur sont les deux autres musées bénéficiaires. La fermeture provisoire des salles Giacometti au Kunsthaus de Zürich a donc incité les représentants de la Fondation Giacometti, ceux de la Fondation Pro Helvetia, ainsi que les directeurs des musées déjà cités, à organiser au Japon, aux Etats-Unis et au Canada, une exposition itinérante des oeuvres d'art placées sous leur protection. Ce programme a été chaleureusement appuyé par l'Ambassadeur de Suisse, M. Félix Schnyder. Ainsi, le Musée Guggenheim a exprimé son désir de recevoir la collection suisse de Giacometti après la tournée au Japon, avec l'engagement d'organiser une présentation de ces oeuvres dans plusieurs musées sur le sol nord-américain.

Mme Louise Averill Svendsen, conservatrice du musée, s'est acquittée de la lourde tâche d'organiser cette exposition. Elle a été secondée par M. Reinhold Hohl, auteur d'une monographie sur Alberto Giacometti (Harry N. Abrams, 1971), qui a écrit l'introduction de ce catalogue. Soulignons d'autre part, les contributions de Mme Eva Wyler, contributions d'autant plus precieuses qu'elles s'appuyaient sur une excellente connaissance de l'oeuvre de Giacometti et du milieu artistique suisse.

Nous remercions la Fondation Pro Helvetia d'avoir facilité le prêt initial, ainsi que la circulation de cette exposition. En outre, nous devons nos remerciements à Mlle Lourié de Pro Helvetia et à M. René Wehrli, directeur du Kunsthaus, de même qu'à son personnel, pour leur précieuse collaboration. Le musée Guggenheim voue sa plus grande reconnaissance à la Fondation Alberto Giacometti, dirigée par M.H.C. Bechtler, dont la collection d'oeuvres de Giacometti constitue la présente exposition. Le musée Guggenheim tient aussi à signaler la participation d'autres musées et de leurs directeurs, qui nous ont souvent apporté leur aide au cours d'une nécessairement longue et complexe conjonction d'efforts: M. Martin Friedman, du Walker Art Center, Minneapolis, Mlle Sherman E. Lee du Cleveland Museum of Art, Mlle Jean Sutherland Boggs, de la Galerie nationale du Canada, Ottawa, M. James T. Demetrion, du Des Moines Art Center, Mme Fernande Saint-Martin du Musée d'art contemporain, Montréal.

En dernier lieu, nous voulons insister sur le fait qu'une rétrospective aussi importante que celle de l'oeuvre d'Alberto Giacometti ne peut être préparée que par un personnel de musée hautement spécialisé et dévoué. Virtuellement tout le personnel du Musée Guggenheim a participé à l'organisation de l'exposition et nous lui en sommes vivement reconnaissants. Je tiens à exprimer à chacun toute ma gratitude, en soulignant encore la collaboration de Cheryl McClenney pour son travail administratif et Carol Fuerstein pour son aide à la rédaction et la correction du catalogue.

Thomas M. Messer, *Directeur*
Musée Solomon R. Guggenheim.

Préface

Parmi les grands sculpteurs de notre époque, Alberto Giacometti se dégage comme ayant le style le plus particulier. Ses hommes et ses femmes filiformes et gris nous parviennent du lointain, comme des apparitions fragiles, en danger perpétuel de se dissoudre dans la lumière et l'espace, malgré leur brusque et miraculeuse proximité. Frêles et immatériels, souvent simples traits dans l'espace, debout ou dans l'attitude du marcheur, ils évoquent la précarité de l'existence. L'art de Giacometti semble ainsi se rattacher à un pessimisme propre au XXe siècle, qui s'est exprimé par le mot et l'image, dans l'oeuvre de maints autres artistes, philosophes et poètes. Toutefois, les références symboliques de Giacometti ne surgissent pas d'une intentionnalité du créateur, mais constituent une conséquence inévitable de sa vision du monde. L'unique préoccupation de l'artiste a été de façonner un langage qui conférerait une dimension de réalité convaincante aux visions qui l'ont nourri et obsédé et rien n'a été plus éloigné de ses préoccupations qui l'illustration d'une position philosophique.

Très tôt, le jeune Alberto s'est rendu compte que les choses et les êtres—ce monde naturel où il puisait ses sujets—ne pouvaient pas être simplement reproduits. Tout comme Cézanne avant lui, Giacometti reconnaissait à l'art et à la nature leur exclusivité mutuelle. Ses premiers chefs-d'oeuvre exprimaient sa profonde intuition d'une forme abstraite et autonome; mais plus tard, il rejeta une perfection formelle qui se réaliserait aux dépens de la vraisemblance, c'est-à-dire de cet aspect de la réalité qui est confirmé par la vision ordinaire. Dans une lettre célèbre à son ami le marchand Pierre Matisse, il résume sa position d'une façon concise: "Je voyais les corps qui m'attiraient dans la réalité et les formes abstraites qui me semblaient vraies en sculpture, mais je voulais faire cela sans perdre ceci."

Dans ses oeuvres de jeunesse, produites entre 1925 et 1935 environ, il s'efforça de concilier la forme et l'expression. Utilisant tout d'abord un langage hérité des Cubistes, pour ensuite aborder avec ses contemporains les présupposés du Surréalisme, les sculptures et les dessins de Giacometti symbolisent et illuminent des expériences universelles de l'homme au moyen de formulations conceptuelles d'une haute perfection. La période suivante, à partir du milieu des années '30 au milieu des années '40, fut consacrée à une expérimentation continue et acharnée, n'engendrant que très peu d'oeuvres, mais préparant le terrain pour une démarche existentielle et subjective qui a donné, ce qui semble paradoxal, des résultats plus objectifs et d'une validité universelle. Tous les moyens du sculpteur, tout son environnement visuel: matériaux, surfaces, échelle, distances et proximités, espace et lumière, ont été considérés en fonction de la vision du spectateur et ont été organisés afin de transformer des concepts en une oeuvre qui puisse projeter la vraie réalité de l'être. Ce n'est que dans les vingt dernières années de sa vie et jusqu'à sa mort en 1966, que l'art de Giacometti a pu intégrer le trois niveaux de réalité que décrit Carlo Huber: la réalité telle qu'elle est, la réalité telle qu'on la perçoit et la réalité telle qu'on peut la représenter.

Au cours de cette dernière étape, caractérisée par les formes étirées que nous connaissons, les points de référence de l'artiste demeurent constants, qu'il s'agisse de sculptures, de dessins ou de peintures, ces dernières revêtant alors une importance nouvelle. L'ampleur des préoccupations conceptuelles, visible dans les premières sculptures, s'est rétrécie, alors que la recherche d'une expression efficace de la réalité persiste avec autant d'ardeur. A travers une innovation formelle radicale, une expressivité vigoureuse et un grand souci de vraisemblance, l'oeuvre de Giacometti nous propose une vision du monde qui commande notre adhésion.

T.M.M.

Forme et Vision:
l' Oeuvre
d' Alberto Giacometti

Giacometti était un artiste aux multiples talents. Un de ses traits les plus frappants était la lucidité avec laquelle il abordait les questions fondamentales liées à l'art, et la façon dont il alliait sa vie et son travail avec les aventures, les ambiguïtés, les contradictions de la démarche artistique. L'influence qu'il a exercée, grâce à ses écrits et à ses propos sur la façon d'apprécier et d'interpréter son oeuvre, a été énorme; et si pénétrante, d'ailleurs, que même l'exposition présente, qui a lieu à huit années après sa mort, est une occasion nécessaire, que nous saisissons avec joie, de considérer sous un angle différent la portée des oeuvres de Giacometti et de discuter de nouveau de leur apport et de leur signification. Nous commençons à voir une idée générale qui rattache entre elles bon nombre de ses sculptures. Nous aimerions parler de la "dimension mythique" de son oeuvre, même si Giacometti voulait déguiser cet aspect en présentant ses sculptures comme des études d'après nature, des essais qui, d'après lui, n'étaient pas encore (et ne le seraient probablement jamais)[1] complètement réussis.

La dimension mythique a atteint son apogée dans le projet de Giacometti de façonner un monument pour la Place Chase Manhattan à New York. Vers la fin de l'année 1958, on lui avait demandé de présenter un projet à cet effet.[2] Giacometti avait considéré cette offre comme une occasion, depuis longtemps espérée, de sculpter un groupe dont la conception l'avait préoccupé pendant près de trente ans.[3] La figure en bronze d'une *Femme debout* (grande, mystérieuse, impénétrable, endurante comme un arbre), un *Homme qui marche* de grandeur nature (toujours à la poursuite de son achèvement) et une *Grande tête* (à la fois une tête perceptive et créatrice, à l'expression attentive, et une sculpture d'une tête déjà sculptée) étaient sensés former le groupe sculptural. Des études à petite échelle furent effectuées en 1959 (fig. 1) des statues ont été coulées à l'échelle en 1960; mais un état définitif n'a jamais été atteint. Si le groupe avait pu être complété, il aurait symbolisé l'image métaphorique ou mythique d'une Réalité autre qui se cache derrière les besognes quotidiennes.

Nous nous rendons compte, en passant en revue les oeuvres de Giacometti, de la limitation et de l'utilisation approfondie de certains thèmes dominants tels qu'ils sont incarnés par le groupe de la Place Chase Manhattan. Nous considérons la plupart de ses oeuvres comme des projets en format réduit d'oeuvres plus complexes destinées aux places publiques et nous émettons l'hypothèse, démontrée dans les pages qui suivront, que les séries de *Femmes debout*, d'*Hommes qui marchent* et de *Têtes* sont en fait des études pour des compositions plus complexes.

Au cours des cinq dernières années de sa vie, Giacometti semblait rejeter l'idée d'une composition à plusieurs figures et même d'une grande sculpture monumentale pour l'extérieur. Il s'est surtout concentré sur des oeuvres simples et nous devons analyser ses buts ultimes à travers chacune de ses oeuvres, notamment les *Bustes d'Annette*, les *Bustes de Diego* et les *Bustes d'Elie Lotar*, datant de 1962 à 1965.

Lorsque Giacometti vint à New York en 1965 pour voir sa rétrospective au Musée d'art moderne, il se rendit plusieurs fois à la Place Chase Manhattan. M. James Lord a décrit comment Giacometti y avait placé quelques-uns de ses amis pour juger de l'effet créé. Quand Giacometti quitta New York, il était fermement déterminé à poursuivre le projet Chase Manhattan; à cet effet, il demanda à Diego, son frère et son collaborateur à vie, de commencer les préparatifs pour une très grande figure de *Femme debout*.[5] Une fois de retour en Europe, il manifesta sa confiance de réaliser bientôt un monument pour la Place.[6] Mais deux mois plus tard il mourut.

Sa vie, sa personnalité et ses écrits

Déjà de son vivant, Alberto Giacometti passait pour un personnage quasi légendaire. Ses amis: artistes, photographes et un nombre surprenant d'écrivains ont tous reconnu son étonnante personnalité. Mais une autre génération plus jeune, qui le voyait, tard dans la nuit, discutant dans les cafés de Montparnasse, le considérait également comme un être supérieur; pas tellement à cause de ses oeuvres, mais à cause de l'originalité, de l'intensité et de l'intégrité de son caractère.

Sa vie n'est pas riche en incidents de toutes sortes; et pourtant, Giacometti a connu une aventure spirituelle sans pareille. Ses conversations, ses propos lors d'entrevues ainsi que ses écrits ont amplement servi à nourrir la légende. Si ce qu'il raconte n'est pas toujours vrai (nous avons de bonnes raisons de douter de la véracité de ses histoires au sujet de certains sculptures et même de certains de ses récits autobiographiques), ses paroles revêtent néanmoins un caractère poétique et absolu qui les rend encore plus révélatrices.

Sa vie se résume à peu de choses. Né en 1901 d'une famille d'artistes suisses de renom, il a bénéficié d'études classiques et scientifiques sérieuses jusqu'à l'âge de dix-huit ans. Petit garçon, il s'est adonné à la peinture et à la sculpture. Puis, pendant plusieurs mois, il s'est mis à peindre dans l'atelier de son père à titre expérimental, pour ensuite étudier d'une façon plus professionnelle à l'Ecole des Beaux-Arts de Genève. Au cours de l'automne 1920, il se rend en Italie pour devenir peintre. Il passe quatre semaines à Florence et six mois à Rome surtout pour visiter des musées et des églises et faire des croquis d'après les maîtres anciens, au lieu de poursuivre des études bien précises. Il retourne en Suisse avec la ferme intention de devenir sculpteur, même s'il trouve plus facile de peindre que de sculpter (d'ailleurs, c'est peut-être bien pour cette raison qu'il s'adonne à la sculpture). En arrivant à Paris au début de l'année 1922, il s'inscrit à l'Académie de la Grande Chaumière et il étudie jusqu'en 1926 de façon irrégulière, sous la direction d'Antoine Bourdelle, dont il ne partage pas exactement l'opinion. En 1927, il loue un petit atelier, devenu depuis historique, au 46, rue Hippolyte-Maindron, où il travaille jusqu'à la fin de sa vie. Le seul incident qui ait perturbé quelque peu son existence ordonnée s'est produit en 1942, lorsqu'il visita Genève et ne put obtenir un visa pour retourner en France qu'après la guerre. Même lorsqu'il façonnait des figures qu'il ne pouvait pas vendre, il n'a jamais connu de difficultés financières grâce à la générosité de sa famille, et plus particulièrement de son frère Diego. Et lorsqu'il devint célèbre et riche, il ne changea en rien sa façon de vivre excessivement modeste et bohème.

Le document qu'on cite le plus volontiers comme étant une source importante pour connaître la biographie et la démarche artistique de Giacometti est la lettre qu'il adressa à Pierre Matisse vers la fin de 1947, au sujet d'une exposition qui devait avoir lieu à la galerie de ce dernier à New York en janvier 1948. Ce récit, un petit chef-d'oeuvre littéraire, commence simplement, puis présente l'oeuvre comme le résultat d'un épanouissement personnel et artistique à la fois cohérent et nécessaire.

> *"Voici la liste des sculptures que je vous ai promis, mais je ne peux la faire qu'en introduisant un certain enchaînement, d'ailleurs très sommaire, sans cela elle n'aurait aucun sens. J'ai fait mon premier buste d'après nature en 1914 et continuais les années suivantes pendant toute l'époque du collège. Je possède encore un certain nombre de ces bustes et je regarde toujours le premier avec une certaine envie et nostalgie."*

N'oublions pas qu'en 1914 il n'avait que treize ans. Ce rappel du passé est un peu surprenant, d'autant plus qu'il poursuit en évoquant une époque où il était encore plus jeune: "En même temps et bien des années avant déjà je dessinais beaucoup et je faisais de la peinture. A côté des dessins d'après nature et des illustrations de livres que je lisais, je copiais souvent des tableaux et des sculptures d'après des reproductions. Je cite ceci parce que j'ai continué la même activité avec de très courtes interruptions," il en parle, parce qu'il a continué à faire la même chose . . ."jusqu'à présent." Cette prise de conscience de la cohérence de sa vie fait penser à une saga où les étapes de la recherche artistique et les changements du style constituent les aventures et font avancer le récit. Ceci a donné lieu à certains embellissements curieux dans le récit de sa vie. "En 1919, j'étais à peine une année à l'Ecole des Beaux-Arts de Genève . . . J'avais de l'aversion pour celle-ci." Puis il change les données en corrigeant le manuscrit quelque peu:

> *"En 1919, j'étais pendant trois jours à l'Ecole des Beaux-Arts à Genève et après à l'Ecole des Arts et Métiers de la même ville pour la sculpture"*[7].

Le fait est que Giacometti a participé aux classes de peinture de David Estoppey l'après-midi à l'Ecole des Beaux-Arts de Genève, à partir de l'automne 1919 jusqu'au début mars 1920, et aux cours de dessin de Maurice Sarkissoff à l'Ecole des Arts et Métiers, le matin; il a également pris des cours privés de sculpture avec ce dernier[8]. Cependant, nous ne voulons pas insister sur ce point. Nous citons cet exemple uniquement pour montrer la manie de Giacometti de revenir sur certains détails et de modifier un récit en vue de lui donner plus d'intensité. Ce trait ressort d'une façon très significative dans ses sculptures et ses peintures qu'il a constamment remaniées. "Trois jours" est plus frappant et plus poétique. En plus, la formule correspond à un mythe de famille: son père Giovanni et le cousin germain de son père Augusto ont quitté une école de beaux-arts pour s'inscrire à une école d'arts et métiers au bout d'un jour et d'une semaine respectivement.[9] Son style y gagne une étonnante vivacité. Bien que sa lettre ait été soigneusement corrigée et divisée, elle semble avoir été écrite spontanément en une heure à peine. Le dernier paragraphe (une autre correction significative, suivie d'une envolée littéraire pour marquer la fin du récit) ramène les trente années de travail artistique à une phrase qui résume sa vie présente: "Et c'est à peu près là où j'en suis aujourd'hui, non, où j'en étais hier encore . . . mais je ne suis pas sûr de ceci. Et je m'arrête, d'ailleurs on ferme, il faut régler."

Giacometti explique presque toujours les tournants décisifs de son évolution artistique, que ce soit dans cette lettre ou dans d'autres récits, ou encore au cours d'entrevues, comme des incidents bien souvent surprenants. Ses expériences et sa clairvoyance philosophique représentent certainement des éléments qui sont à l'origine de son style, et donne à son art un caractère unique. On ne peut faire abstraction de son talent ni de sa tournure d'esprit éminemment littéraire lorsqu'on cherche une signification à ses oeuvres. Sa lucidité cérébrale, son caractère de poète et même de visionnaire, alliés à une approche extrêmement originale de la réalité, donnent à ses réalisations artistiques une dimension mythique.

Les écrits de Giacometti sur son travail abondent en histoires mystifiantes, par exemple, la lettre accompagnant le catalogue à la deuxième exposition de New York après la guerre, qui a eu lieu à la Galerie Pierre Matisse en 1950. De nouveau nous retrouvons un premier texte, puis une modification le lendemain. Il fait allusion à la révision dès la première phrase: "Les titres que je vous ai donnés hier ne vont pas."* Giacometti change "les faits d'hier" par "les vérités d'aujourd'hui." Rien n'est plus intéressant pour mieux connaître la personnalité et l'art de Giacometti que de comparer certaines de ses réflexions avec leurs variations le jour suivant.[10] Certaines anecdotes apparemment autobiographiques sont attachées aux "titres d'hier" de certaines oeuvres complexes comme *Trois figures et une tête*, *Sept figures et une tête* et *Neuf figures*. Il décrit ces compositions comme étant une réunion fortuite d'oeuvres et aussi comme le résultat d'impressions ressenties l'année précédente et au cours de sa jeunesse, lorsque les arbres et les blocs de gneiss dispersés des forêts de l'Engadine lui paraissaient comme des personnages chuchotants; d'où leurs noms apocryphes: *Le sable*, *La forêt* et *La clairière* respectivement. C'est un chariot de produits pharmaceutiques qu'il aurait vu dans un hôpital en 1938 qu'il prétend être à l'origine du *Chariot*. Les commentaires modifiés insistent beaucoup moins sur ces explications anecdotiques et rejettent les titres "*Sable*", "*Forêt*" et "*Clairière*" pour les remplacer tous trois par "*Place*", au sens de "Place de ville", si on se réfère à un des projets les plus tenaces de Giacometti. Dans le texte "d'aujourd'hui", Giacometti a non seulement relié ses têtes aux blocs de gneiss de son passé mais aussi à "des têtes que j'ai rêvé de façonner il y a presque déjà vingt ans"*, c'est-à-dire aux alentours de 1932, suggérant ainsi une interprétation d'oeuvres telles que *Projet pour une place* de 1932 (fig. 2), *La table surréaliste* de 1933 et *Le cube* de 1934 et fournissant aussi une preuve de la cohérence globale de ses compositions sculpturales. Dans le cas du *Chariot*, il fait appel à des problèmes d'ordre plus technique,

*—Traduction libre (N.d.T.)

tels que l'emplacement de la figure "dans l'espace", et à une distance bien précise du sol. Il aurait été plus exact de se rapporter au *Chariot de combat* égyptien à deux roues datant de 1500 avant Jésus-Christ, qui présente des cales identiques aux siennes, que Giacometti avait vu au musée archéologique de Florence. Cette lettre se termine, tout comme celle de 1947, sur une hésitation de l'artiste: "Je vais devoir trouver une solution aux titres proposés, mais pour le moment j'hésite encore. Indiquez les noms qui vous conviennent le mieux selon ce que je vous ai écrit avant, hier et aujourd'hui".* En fait, le véritable problème qui préoccupe l'artiste dans cette lettre n'est pas celui des titres, mais plutôt d'allusion aux intentions plus sérieuses et tenues secrètes qui sont sous-jacentes aux oeuvres.

Ces mystifications sont tout à fait dans la lignée surréaliste. En outre, la rédaction d'un texte détaillé par l'artiste même, lors d'une exposition de ses oeuvres, est tout à fait dans la veine de l'époque surréaliste des années 30, sous l'influence de la personnalité profondément littéraire qu'était André Breton. Lorsque Giacometti se mit à écrire en 1931, ce fut pour la revue surréaliste de Breton: *Le Surréalisme au service de la révolution*. Un texte prétendument autobiographique comme son commentaire de 1933 sur *Le palais de 4h du matin*[11] est en réalité de la prose typiquement surréaliste, soit une combinaison de mémoires d'enfance de caractère assez sexuel, d'incidents exceptionnels ou très ordinaires envisagés comme de crises marquantes ou une recherche pseudo-psychanalytique. Dans ses écrits, Giacometti a continué de se conformer au surréalisme même après la guerre, plutôt que de dévoiler ses vraies préoccupations qui, à nos yeux, deviennent d'ordre mythique. Et pourtant, il a ouvertement rejeté la doctrine surréaliste en conclusion à son essai sur Callot, rédigé en 1945 en disant que, dans toute oeuvre d'art, le sujet choisi est de prime importance et son origine "n'est pas nécessairement freudienne".[12]

Les écrits de Giacometti reflètent l'atmosphère littéraire des périodes au cours desquelles ils ont été rédigés. Pendant la guerre et peu après, il s'est rapproché de Sartre et il a sans doute contribué à enrichir ses théories sur l'être et le néant[13]; il a lu, et peut-être bien rencontré, Camus. L'existentialisme perce dans ses textes de 1946; *Le rêve, le sphinx et la mort de T.* et *Mai 1920*, publiés en 1953, mais probablement rédigés quelques années plus tôt. Le premier de ces deux essais est également remarquable d'un point de vue littéraire; il est présenté comme une combinaison d'au moins trois essais pour raconter une histoire en adoptant les techniques du surréalisme, de l'existentialisme et, avant même qu'on le dénommât, du *nouveau roman*. Le rythme de ses écrits, de 1953 à 1965, révèle l'influence de Samuel Beckett, avec qui Giacometti avait eu de nombreuses conversations, malheureusement non documentées. *Ma réalité* de 1957, *Notes sur les copies* de 1965 et *Tout cela n'est pas grandchose* de 1965 sont les écrits les plus signifiants et les plus saisissants de Giacometti. Cependant, dans la conclusion portant sur ses copies du 18 octobre 1965: "Je ne sais pas si je suis un comédien, un filou, un idiot ou un garçon très scrupuleux. Je sais qu'il faut que j'essaie de copier un nez d'après nature"[14] non seulement on sent l'influence de la dernière phrase de *l'Innommable* de Beckett: ". . . là où je suis, je ne sais pas, je ne le saurai jamais, dans le silence on ne sait pas, il faut continuer, je vais continuer", mais aussi une des dernières lettres de Cézanne à son fils Paul, datant du 13 octobre 1906: "Je dois continuer. Je dois absolument travailler d'après nature."

Dessiner, sculpter ou peindre un nez d'après nature, c'est ce que faisait Giacometti au cours des dernières années de sa vie. Mais ses dernières oeuvres n'auraient pas cette force, si elles n'exprimaient pas les expériences accumulées au cours de la vie de l'artiste, ainsi que ses pensées auxquelles il a donné une forme poétique dans ses écrits. Nous parlerons de cette affinité entre les deux lorsque nous analyserons l'album de lithographie de Giacometti, *Paris sans fin* 1958-1965, au sujet duquel il a rédigé quelques pages fort révélatrices.

Toutefois, il vaut mieux pour le moment revenir à la période précédente de 1946 à 1950, où l'artiste a écrit des textes quelque peu surréalistes, bien qu'essentiellement existentialistes. Cette période se caractérise en sculpture par le style distinctif de Giacometti: figures filiformes et allongées, compositions comme *La place, Trois figures et une tête, Trois hommes qui marchent,* et la série des *Femmes debout,* idées reprises dans le projet de la Place Chase Manhattan. Dans les textes *Le rêve, le sphinx et la mort de T.* et *Mai 1920,* semblent se dessiner derrière l'attitude littéraire bien connue de l'artiste, certaines données biographiques et philosophiques qui peuvent être résumées ainsi. En 1920, alors qu'il était en Italie, le jeune Giacometti a été captivé par la vérité émotive qui se dégage des peintures du Tintoret qui reflétait sa propre passion pour Venise; il ne put s'intéresser sérieusement à rien d'autre pendant tout un mois. Mais il changea, à regret, un après-midi lorsqu'il visita les fresques de Giotto à Padoue; le style de Giotto lui fit découvrir une autre vérité artistique encore plus puissante. D'après l'artiste, le soir de ce même jour, il découvrit une troisième vérité toute différente: la réalité bien tangible de deux ou trois femmes dans la rue (peut-être quelque dames nocturnes paradant devant le jeune homme de la vallée de Bregaglia) qui lui semblaient si puissantes et si démesurément grandes. Il ne les a pas approchées; il était frappé par la découverte que l'Art, même celui du Tintoret ou de Giotto, ne peut jamais égaler la réalité. L'image de ces femmes ne le quittait plus de toute sa vie, mais restait avec lui comme le mémoire d'une apparition. Il redécouvrit ce caractère de longueur extrême en été de 1921, lorsqu'il vit un homme brusquement surgir d'entre les colonnes d'un temple à Paestum. Et il redécouvrit ce qui l'avait tant attiré dans l'oeuvre de Tintoret en voyant un buste égyptien à Florence, la première tête qui lui semblait ressembler vraiment à la réalité; il fit aussi cette découverte en regardant les longues figures hiératiques et stylisées des mosaïques de l'église de Saint-Côme et Saint-Damien à Rome, qui lui semblaient reproduire en quelque sorte les jeunes femmes de Padoue. Seul Cézanne, parmi les artistes plus modernes, lui semblait atteindre cette même qualité.

Aux alentours de son vingtième anniversaire, dans une chambre d'hôtel du Tyrol, il fut témoin de l'agonie douloureuse d'un compagnon dont il n'a jamais pu oublier l'expression du visage. Il se rendit soudain compte que l'essence de la mort, c'est l'absence, tandis que la vie est une présence[15]. Bien des années plus tard, il observa une autre tête d'homme mort et vit "une mouche qui s'approcha du trou noir de la bouche et lentement y disparut"[16].

Il est facile de trouver dans les sculptures de Giacometti de la période où ont été rédigés ces textes, des traces qui se rapportent plus ou moins à ces expériences (par exemple, la *Tête sur tige* de 1947 ou encore les grandes figures *Femme debout* de 1947-1949), mais des parallélismes aussi étroits brouillent la signification plus générale de l'art de Giacometti. Et pourtant, grâce à ces textes, nous pouvons en déduire les idées personnelles de l'artiste ainsi que le contenu mythique de son oeuvre: l'Art est quelque chose de tout à fait différent de la Réalité; la réalité est perçue comme une apparition soudaine; voir une personne brusquement comme un tout met en valeur, avant tout, sa verticalité; le style artistique peut donner un équivalent à l'intensité de la vie; une oeuvre d'art peut devenir un double de la réalité si l'artiste arrive à lui conférer le caractère de vraisemblance d'une présence bien vivante.

Evolution de son style sculptural

Dans une de ses lettres que Giacometti adressait chaque année à Stampa à son parrain Cuno Amiet, il parle de ses premières sculptures réussies, des têtes de ses frères Diego et Bruno, qu'il avait façonnées au cours de l'hiver 1914-1915[17]. Un demi-siècle plus tard, au cours de l'été 1964, alors qu'il modelait une tête (peut-être bien dans la même pièce à Stampa) Giacometti a dit, lors d'une entrevue filmée pour la télévision suisse: "Si jamais je réussis à faire une seule tête, j'abandonnerai probablement la sculpture. Mais le plus drôle, c'est que si je faisais la tête telle que je veux, peut-être que nul ne s'y intéresserait . . . et si ce n'était qu'une petite tête banale? En vérité, depuis 1935, c'est ce que j'ai toujours voulu faire. Chaque fois, j'ai échoué"[18].

Quand il était un petit garçon, inspiré par des reproductions de sculptures de Rodin, Giacometti n'éprouvait aucune difficulté à façonner des bustes de ses frères. Il appliquait les conventions artistiques employées depuis le temps des sculpteurs romains jusqu'aux contemporains, comme Maillol: soit des représentations non pas de ce que l'on voit, mais de ce que l'on sait sur la réalité d'une tête: son volume et sa substance bien tangibles, ses dimensions qu'on peut mesurer. Cependant, à un moment de sa carrière (Giacometti parle de l'année 1935, mais il ne faut pas prendre cette date trop à la lettre), il a essayé de dépasser ces conventions et de modeler une tête telle qu'il la percevait réellement: une entité purement visuelle située devant lui à une certaine distance et saisie aussitôt comme un tout. Il devait créer des techniques sculpturales entièrement nouvelles pour rendre cette représentation. Même les figures impressionnistes de Medardo Rosso ne traduisent pas un concept qui tranche autant avec les techniques passées. La création d'une dimension sculpturale inconnue ainsi que l'utilisation d'une variété de techniques pour exprimer sa vision neuve marquent l'importance de Giacometti dans l'histoire de la sculpture. On comprend facilement ce nouveau résultat: alors qu'une figure de Rosso, de Rodin ou des Etrusques (on compare si souvent, mais à tort, l'art des Etrusques aux oeuvres de Giacometti à cause de leur allongement extrême), regardée de près et de tous les côtés, représente toujours une figure, les sculptures de Giacometti sont des images seulement lorsqu'on les regarde à distance et, en principe, de face; si on les regarde de trop près ou de l'arrière, on n'y voit qu'une matière rugueuse.

Ces remarques s'appliquent évidemment au style de son époque de maturité. Cependant, Giacometti était un sculpteur extrêmement original même à ses débuts. En regardant l'évolution de ses oeuvres, on y constate une oscillation constante entre deux pôles, à savoir entre les formes naturelles de la réalité et les formes conceptuelles de l'abstraction, entre la vérité de la vie et la vérité de l'art. Au sein de cette polarité, son style a varié: d'un naturalisme modéré (jusqu'en 1925) il a passé à la stylisation (1925-1927), puis presqu'à l'abstraction des formes (1928-1931); il a ensuite opposé les formes humaines aux formes abstraites dans une seule composition (1932-1934). L'année 1935 marque un tournant important dans l'évolution de l'oeuvre; l'artiste redécouvre la réalité. Les oeuvres des dix années suivantes sont, à l'exception de quelques-unes, des études de têtes et de figures d'après nature (1935-1941), des études de mémoire (1942-1945) et de nouveau, des études d'après nature (1946). En 1947, Giacometti parvient enfin à réaliser dans un style sculptural entièrement personnel, une représentation de sa perception et de ses projets de composition qu'il avait abandonnés en 1934. C'est entre 1947 et 1950 et en 1956 qu'il fit ses principales réalisations, d'ordinaire dans le but de les présenter à des expositions très importantes à ses yeux. Entre 1951 et 1956, il fit surtout des études d'après nature. Les années de 1957 à 1961 marquent la transition à son dernier style; c'est à cette époque qu'on lui a demandé de soumettre un projet pour la Place Chase Manhattan, projet qui demeura inachevé. Le style de ses dernières sculptures est complètement différent de celui d'après-guerre et trouva son apogée dans ses bustes de 1964-1965.

On peut voir l'évolution de son style en analysant quelques problèmes sculpturaux particuliers. Au cours des trois premières années qu'il passa à Paris, Giacometti fit des études réalistes de portraits. Au fur et à mesure que ces têtes devenaient plus stylisées, leur qualité sculpturale était plus grande, mais leur sensibilité descriptive diminuait. Plus tard, il adopta avec enthousiasme les formules cubistes et post-cubistes de Duchamp-Villon, Joseph Czaky, Laurens et Lipchitz (*Torse* de 1925 (cat. no 1); *Personnages* de 1926-1927 (cat. no 5); *Composition cubiste (Homme)* de 1926; *Construction (Femme)* de 1927). Dans ces oeuvres, la ressemblance des formes naturelles est remplacée par un équilibre des volumes et des vides. Giacometti a évité l'éclectisme à cause de son don inné de façonner des proportions délicates et de réduire les formes à leur plus grande simplicité. Il a également conféré à ses sculptures, notamment *Homme et Femme* de 1926, *Petit homme accroupi* de 1926, *Femme-cuillère* de 1926 et *Sculpture* de 1927 (cat. nos 4,2,3), l'intensité émotive qui se dégage de l'art primitif. Il n'a évidemment pas été le premier artiste à faire appel aux formes de l'art primitif; Brancusi, Picasso, Laurens et Lipchitz l'ont fait avant lui. Mais Giacometti est arrivé à recréer les forces vitales, inhérentes aux sculptures primitives, plutôt que d'emprunter tout simplement les éléments touchant la forme.[19] Ses symboles sculpturaux pour exprimer les parties génitales et la copulation ont un contenu mythique qui, tout comme dans l'art primitif, est une formulation d'une réalité universelle toujours présente. La recherche d'une expression intense des formes essentielles de la composition a posé de difficultés sérieuses au cours de cette période, pour sculpter des têtes d'après nature (par exemple, le *Portrait de la Mère de l'artiste* de 1927 (cat. no 6) et le *Portrait du Père de l'artiste* de 1927 (cat. no 7,8), jusqu'au moment où il découvrit dans la sculpture des Cyclades, une pureté et une simplicité extrêmes ainsi qu'une expressivité presque immatérielle. Giacometti a atteint une maturité sculpturale avec ses plaques de 1928, dont les plus importantes sont les versions de *Tête qui regarde* (cat. no 9,10). Le titre dévoile son intention de rendre une tête, non pas comme un objet, mais comme une force vive—objectif qu'il a poursuivi jusqu'à la fin. D'un autre côté, les figures étaient réduites à des symboles sculpturaux—*Femme couchée* de 1929 (cat. no 13), *Homme* de 1929 (cat. no 15)—qu'il pouvait combiner, tout comme des hiéroglyphes, pour aboutir à des compositions expressives: *Homme et femme* de 1928-1929 (fig. 3).

La Femme couchée qui rêve de 1929 (cat. no 14) marque la transition au surréalisme. Giacometti n'a pas seulement été "influencé" par le mouvement surréaliste, mais il a été, tout comme Arp et Picasso, l'un des sculpteurs surréalistes les plus véridiques. Avec les formes qu'il s'était données—demi-sphère, croissant, pointe, tige et cône—Giacometti se souciait maintenant d'animer ces formes et de les disposer d'une façon à évoquer l'amour charnel et les confrontations cruelles. Le problème était de fixer, et même de placer les "personnages" de ses compositions—problème facile à résoudre en peinture[20], où la toile sert de scène. En sculpture, le problème se résume en fin de compte à celui de la relation entre la sculpture et la base. Giacometti a inventé quelques solutions très efficaces[21]. Les *Trois personnages dehors* de 1930 (fig. 4) sont présentés comme une grille verticale[22]. Dans le cas de la *Boule suspendue* de 1930 (cat. no 16), il a construit une cage du haut de laquelle est suspendue une boule au bout d'une ficelle. La boule se balance au-dessus d'un croissant qui repose sur une plate-forme à l'intérieur de la cage, sans jamais le toucher. Dans le cas de *Circuit* de 1931 (fig. no 5), le champ d'action consiste en une planche en bois. Le *Palais à 4 heures du matin* de 1932 (fig. no 6) ressemble à une véritable maquette de scène; de fait, toutes les oeuvres du début des années 30 sont en quelque sorte des modèles visuels utilisés pour exprimer des drames psychologiques, drames qui affectent intensément celui qui regarde l'oeuvre.

Afin de leur prêter une intensité encore plus grande, Giacometti a songé à sculpter "grandeur nature" au moins une de ses oeuvres: *Projet pour une place* de 1932 (fig. 2) de sorte que le spectateur puisse véritablement entrer dans le jeu. Si des personnes pouvaient se mêler aux formes sculpturales et faire ainsi partie de la composition, la dichotomie entre la réalité et l'art serait alors dévoilée et disparaîtrait.

Giacometti a découvert d'autres façons de créer des liens entre sa sculpture et la réalité. Il a fait en sorte que l'oeuvre d'art fasse partie de l'environnement en éliminant la base pour que la sculpture puisse reposer sur une table comme n'importe quel autre objet (c'est le cas de l'*Objet désagréable* et l'*Objet désagréable à jeter,* datant tous les deux de 1931), ou sur le plancher à la merci du visiteur (comme c'est le cas de la *Femme égorgée* de 1932 (cat. no 17), ou encore en s'arrangeant pour que la base représente à la fois le monde imaginaire de l'art et le monde réel d'une pièce meublée (comme dans le cas de *La table surréaliste* de 1933 (fig. 7). L'art de Giacometti n'a jamais été aussi surréaliste que lorsqu'il composa ces pièces ambiguës; en effet, elles ne sont pas seulement perçues en tant qu'objets esthétiques, mais suscitent la confrontation et la participation actives du visiteur. La deuxième étape était d'orienter sa participation en lui montrant où il doit se tenir par rapport à la sculpture. La relation privilégiée est celle de la frontalité. Elle est indiquée dans le cas de *Caresse* de 1932, par les contours d'une main gauche et d'une main droite gravés sur les côtés droit et gauche de la sculpture en marbre, représentant une femme enceinte. Ces mains (qui sont d'ailleurs celles de l'artiste) sont aussitôt saisies comme celles de quelqu'un qui se tient juste en face de l'oeuvre, ce qui annonce la *Femme debout*[23] de l'après-guerre.

Bien que le concept de la suppression de la distinction nette entre le monde de l'art et celui de la réalité, en faisant entrer l'oeuvre dans l'environnement tangible du visiteur, soit éminemment surréaliste, Giacometti s'est détaché très rapidement des doctrines surréalistes. Alors que les activités surréalistes, surtout dans le cas des expositions d'après 1935, visaient à grouper ensemble divers objets éphémères en vue de créer des situations fantastiques, Giacometti, lui, a voulu créer des sculptures, et même des monuments, durables. Si le *Projet pour une place* avait été sculpté grandeur nature, ses éléments sculpturaux auraient fait penser davantage à des monuments comme le complexe préhistorique de Stonehenge ou encore les têtes énormes de l'Ile de Pâques, qui sont une expression d'une réalité universelle ou mythique, qu'à des oeuvres surréalistes.

Cette dimension spirituelle a manifestement échappé à André Breton, lorsqu'il analysait l'origine de l'*Objet invisible* de Giacometti de 1934 (fig. 8)[24]. Le titre, tout comme l'autre titre proposé: "Mains tenant le vide", qui peut aussi être interprété comme "Maintenant le vide", si on fait le jeu de mots, est une critique à l'égard du culte de l'objet des surréalistes. Contrairement à l'interprétation de Breton qui prétendait qu'un objet mystérieux, trouvé au marché aux puces (c'était, en fait, le prototype d'un masque protecteur en fer, conçu par le corps médical français au cours de la Première Guerre mondiale)[25] avait aidé l'artiste à façonner ses formes, Giacometti avait emprunté ses formes humaines stylisées d'une *Statue pour une femme morte* des Iles Solomon, qu'il avait vue au Musée ethnologique de Bâle; il l'avait combinée avec d'autres éléments de l'art océanique, tel que le démon de la mort à forme d'oiseau. L'origine de ces formes, ainsi que leur valeur hiératique, lorsqu'on regarde l'oeuvre de devant, révèlent surtout un point de vue mythique.

Quelques temps avant 1935, Giacometti a commencé à sentir qu'il n'existait aucune différence réelle entre les formes presque abstraites de son travail et les vases et les lampes qu'il dessinait pour un décorateur d'intérieurs (D'ailleurs, un de ses objets décoratifs a été reproduit dans une publication avant-gardiste de 1937 avec la mention *Sculpture*[26]).

Giacometti a fort bien décrit le dilemme qu'il eût à résoudre au cours de cette période dans sa lettre de 1947 qu'il adressa à Pierre Matisse: "Je voyais de nouveau les corps qui m'attiraient dans la réalité et les formes abstraites qui me semblaient vraies en sculpture, mais je voulais faire cela sans perdre ceci ... Et puis le désir de faire des compositions avec des figures." La *Femme qui marche* de 1932 et *Le cube* de 1934 (cat. no 19), dont la forme stéréométrique a déjà été utilisée dans son oeuvre *La table surréaliste* de 1933, matérialisent ces préoccupations. *Le cube* devait représenter une tête et faire partie d'un projet de monument dont on parlera plus tard; la *Femme qui marche,* très élégante et stylisée avec une grande sensibilité, fait penser au style et à l'attitude de la sculpture en bronze d'Archipenko: *Torse plat* de 1914. Mais en 1935, la stylisation, qu'elle soit géométrique ou biomorphique, n'intéressait plus Giacometti. Il voulait aller plus loin et créer des figures qui seraient perçues comme l'est la réalité, et qui susciteraient immédiatement la participation perceptive du visiteur. Il commença alors à faire des études d'après nature pour sculpter une figure de ce genre, mais il dût se limiter à une tête. Il se mit à analyser le phénomène de la perception et parvint à des conclusions ayant une portée profondément esthétique, psychologique et philosophique.

Une tête ou une figure sont perçues d'un seul coup et sont envisagées comme une unité indivisible. Si ce n'était pas ainsi, on n'aurait qu'une simple accumulation désordonnée d'éléments de peau, de cils, etc. Etant donné qu'on doit toujours voir l'objet à une certaine distance, il y a toujours un espace entre cet objet et l'oeil de celui qui le regarde. La perception, d'après Giacometti, est une expérience exclusivement visuelle qui ne comporte aucune sensation de pesanteur, et ce n'est que grâce à une correction mentale qu'on voit les objets en "grandeur nature." Il se rendit compte également que le contact visuel véritable ne se fait qu'en regardant une personne de face, et généralement dans les yeux. Giacometti en conclut que l'empreinte de la perception du visiteur sur une oeuvre d'art peut être exprimée en rendant l'effet que l'oeuvre est vue à une certaine distance et qu'elle est saisie immédiatement comme une unité vue de face; elle doit son existence au fait que le visiteur la comprend comme une image. La sculpture est alors transformée d'une simple matière de bronze ou d'argile en une figure, grâce à la participation active de celui qui la regarde.

Toutes les sculptures de Giacometti entre 1936 et 1941 sont des études dirigées en ce sens. On peut très bien qualifier son style de "réalisme phénoménologique," en opposition au réalisme conceptuel de la sculpture traditionnelle. La *Femme au chariot* de 1942 est la seule oeuvre de grande dimension datant de cette période; la figure repose sur un cube muni de roues; on peut ainsi déplacer la sculpture pour démontrer que la grandeur phénoménologique change.

Entre 1942 et 1946, Giacometti a façonné de très petites sculptures qu'il a placées sur des socles assez grands afin de donner l'illusion de l'éloignement. En outre, les figures ne présentent pas de caractéristiques détaillées, ce qui renforce l'impression d'éloignement. Leur petitesse ne rend pas tellement la perception réelle que l'image retrouvée d'une figure aperçue au loin dans la rue, qui a perdu tout trait reconnaissable sans toutefois perdre son identité.

Les recherches phénoménologiques de Giacometti l'ont entraîné à apporter de nouvelles conclusions en 1946. Il s'est rendu compte que l'espace n'existe pas seulement en face d'une figure, mais l'entoure et la sépare d'autres objets. Lorsque nous regardons quelque chose, nous voyons autant d'espace (surtout de part et d'autre de l'objet) que notre champ visuel le permet.[27] La figure paraît "à certaine distance" extrêmement fine par rapport au champ absolu de la vision. Paraissant mince, elle paraît également assez grande. De nouvelles études d'après nature, notamment des dessins, ont entraîné une substitution des minuscules représentations par les figures allongées de 1946.

En 1947, Giacometti a donné une forme permanente à ses expériences visuelles et a créé un style sculptural nouveau caractérisé par des figures allongées et filiformes, apparemment sans volume et sans pesanteur. Ce style est tout aussi expressif et efficace pour les compositions monumentales complexes que pour les têtes et les figures simples vues de face. Giacometti avait rompu avec les conventions sculpturales traditionnelles et trouvé une façon vraiment personnelle d'exprimer sa vision de la réalité.

Il a même dépassé à l'extrême ces conventions en se référant aux thèmes sculpturaux traditionnels dans sa propre sculpture: dans le cas de l'*Homme au doigt* de 1947 (partie d'une composition à deux figures maintenant perdue[28]), il a présenté sa propre version de la pose classique du *Poséidon du cap Artémision* ou du *Saint Jean-Baptiste prêchant* de Rodin; son *Homme qui marche* de 1947 (cat. no 22) est sa version à lui de l'*Homme qui marche* de Rodin; ses *Femmes debout* immobiles de 1947 à 1949 évoquent les sculptures funéraires égyptiennes ou encore les Korai de la Grèce archaïque, dont elles empruntent parfois la coiffure. La base d'une *Femme debout* n'est pas seulement le dispositif traditionnel qui sert à faire tenir la sculpture, mais une forme raccourcie du plancher sur lequel est placé le modèle et qui devient ainsi une partie intégrante de l'image sculpturale. Dans l'oeuvre très expressive intitulée *Tête d'homme sur tige* (fig. 9), le problème du socle est réglé car Giacometti place la tête à l'extrémité d'une perche.

Giacometti était enfin prêt à réaliser des compositions complexes de son propre cru, soit "les compositions avec des figures" qu'il avait voulu façonner avant de travailler d'après nature en 1935. On peut considérer les *Trois hommes qui marchent* et *La place* de 1948 comme des modèles pour des oeuvres de ce genre, pour lesquelles il a également fait des études approfondies. On ne peut pas discuter convenablement de ces sculptures en termes purement reliés à la forme; on doit en analyser les thèmes en fonction du contenu iconographique. D'après le concept de la *Femme au chariot* de 1942, Giacometti a réalisé la sculpture monumentale en bronze: *Chariot* de 1950 pour être placée sur une place publique, projet qui fut finalement rejeté par la ville de Paris.[30] Les oeuvres très nombreuses des années 50 comprennent les *Quatre femmes sur base* (cat. no 31) où la base est, tout comme celle de *La table* de 1933, à la fois une partie de l'environnement véritable et un élément du monde imaginaire de l'art; le piédestal est triangulaire et représente en perspective le plancher étincelant d'un cabaret où Giacometti, selon sa lettre de 1950 adressée à Pierre Matisse, avait vu quelques femmes qui lui paraissaient inaccessibles. Dans le cas des *Quatre figurines sur base* de 1950 (cat. no 30), les femmes sont représentées comme des personnes isolées dont le seul point commun est la base et l'espace qu'elles partagent. Cette idée permet peut-être de comprendre la série des *Femmes debout* de 1956, mieux connue sous le nom des *Femmes de Venise I à IX* (cat. no 44) qui ont été sculptées en vue de la biennale de Venise de cette même année. Ces femmes ont été façonnées séparément; d'ailleurs, quelques-unes sont en fait des moulages d'une même sculpture à divers stades.[31] Cependant, elles prennent une signification complète, qui est expression de solidarité, lorsqu'elles sont en groupe, tel que Giacometti les avait disposées lors des expositions de Venise et de Berne en 1956. Un des projets qui n'a pas dépassé l'étape du modèle a été *Projet pour un monument d'un homme célèbre* de 1953. Les sculptures des années 50, la plupart des figures de *Femmes debout* et des bustes appelés *Têtes d'hommes* généralement exécutés d'après nature, avec Anette sa femme et Diego son frère comme modèles, reflètent une démarche lente mais constante vers un nouveau concept sculptural et un style nouveau. Giacometti a abandonné l'extrême immatérialisme de ses figures, et après 1955, le profil mince comme une lame des têtes; il a remplacé ces exagérations stylistiques de sa vision par plusieurs autres effets, notamment par la fragmentation ou le traitement des bustes plus massifs en tant que repoussoirs sculpturaux, c'est-à-dire comme contrastes visant à accroître la distance illusoire des têtes.

Giacometti commençait alors à se rendre compte qu'une sculpture, qui était sensé devenir un "double de la réalité,"[32] ne pouvait plus être représentée comme une simple fonction de la perception du visiteur; elle doit plutôt être une création existant indépendamment de l'oeil du spectateur. La confrontation serait alors mutuelle. Vers la fin des années 50, Giacometti s'est concentré presque exclusivement sur le problème de donner un regard à ses sculptures. Car la faculté de la vision, l'étincelle de vie dans le regard est la preuve de l'existence réelle des têtes qu'il a alors sculptées. La *Femme assise* de 1956 reflète ces nouveaux concepts; cette oeuvre présente une solidité sculpturale nouvelle et, ce qui est le plus important, un regard tout personnel. Lorsqu'il sculpta les bustes de *Diego sur une stèle,* en 1957, il fit appel à la tradition romaine et baroque qui consistait à utiliser une stèle comme base, mais Giacometti a intégré la base à la sculpture. En utilisant une forme traditionnelle, le sculpteur fait ressortir d'autant plus le caractère de présence et de puissance qui se dégage de la tête, et plus particulièrement de son regard. Si l'on tient compte de ses dimensions, de son volume et de l'expression du regard, la *Grande tête* de 1960 (fig. 10) fait penser à la *Tête colossale de Constantin* des Romains, que Giacometti avait esquissée à cette époque[34].

Giacometti a atteint son dernier style aux alentours de 1960. Au premier abord, les *Bustes d'Annette,* 1962 et 1964 (cat. no 103-108) pourraient sembler d'inspiration traditionnelle, tout comme la "petite tête banale" dont Giacometti avait parlé lors de son interview en 1964, si ce n'était l'attraction et l'intensité du regard. Ce point ressort encore plus dans le cas des *Bustes de Diego* et des *Bustes d'Elie Lotar* de 1965 (fig. 11). Par leur teneur corporelle des plus rudimentaires, ces oeuvres sont presque une négation de l'existence organique des sujets représentés. Les bustes n'ont presque aucune ressemblance avec les sujets; ce sont plutôt des autoportraits que des portraits de modèles. Bien que leur regard soit perçant, il n'est pas orienté sur le visiteur et semble ne pas faire cas de sa présence. Les yeux semblent plutôt transpercer le spectateur; la trajectoire du regard semble relier le noyau de leur tête à une autre réalité. Ils dominent l'espace autour d'eux par leur simple existence. Ils n'occupent plus un espace imaginaire, mais notre espace réel. Ils ne remplissent pas seulement l'espace, mais créent plutôt des liens spatiaux avec le milieu. Tout comme les sculptures religieuses les plus majestueuses du passé, par exemple la *Pietà Rondanini* de Michel-Ange, ils imposent sur tout ce qui les entoure l'effluve d'un espace privilégié, quasi sacré.

Persistance de quelques thèmes dans l'oeuvre du sculpteur

Les interprètes modernes se montrent réticents à dépasser l'analyse des formes et l'histoire d'une oeuvre d'art, étant donné que tant de critiques farfelues ont condamné la recherche bien légitime d'une signification à l'art. Les préliminaires de la recherche d'une signification, qui sont les études des solutions attachées à la forme, deviennent, chez bien des critiques d'art, déjà la fin qui se justifie fort peu.

Par conséquent, nous ne pouvons pas examiner l'oeuvre de Giacometti uniquement du point de vue des formes. Nous avons déjà vu, par exemple, que l'extrême allongement et la minceur de ses figures s'expliquent par la perception, telle qu'elle est conçue par l'artiste. Mais l'analyse ne devrait pas s'arrêter là. Il est très important de dire ici que ces caractéristiques de la forme ne sont pas du tout liées, comme on l'a souvent dit, à des idées sur la famine et les misères de la guerre et des camps de concentration. En outre, les figures isolées sur leurs socles ou confinées dans une cage, n'expriment pas des concepts à la mode de "solitude existentielle" ou "d'angoisse du monde moderne"[35]. Giacometti a bien fait comprendre, lors de conversations en 1962, que son intention n'était pas du tout d'exprimer la solitude et que l'angoisse est l'état permanent de l'homme[37].

Il ne serait pas difficile d'interpréter, d'une façon allégorique, certaines oeuvres dont le nom suggère une spéculation philosophique, ou encore dont les formes sculpturales se prêtent à des interprétations métaphoriques. La *Figure entre deux boîtes qui sont des maisons* de 1950 (cat. no 28) est, par exemple, une femme qu'on peut voir au centre d'une boîte en vitre marchant d'une boîte en bronze à gauche, dans laquelle on ne peut voir, vers une autre boîte semblable, vers la droite. Nous pouvons décrire cette figure comme une métaphore de la vie qui commence dans l'inconnu et qui se poursuit pour atteindre un autre inconnu dont la mort est une vérité certaine. Dans le catalogue de la Galerie Pierre Matisse de 1950, Giacometti a intitulé cette sculpture "figure dans une boîte entre deux boîtes qui sont des maisons". Une rumeur qu'on n'a pas vérifiée dit même que les "maisons" de Giacometti se réfèrent en fait à une photographie qui est parue dans la presse en 1945 montrant une femme nue chassée de sa cellule jusqu'à une autre cellule qui était la chambre à gaz. Même si cette version était vraie, la sculpture ne représenterait pas simplement la fatalité des camps de concentration, mais glorifierait la Vie telle qu'elle est incarnée par cette femme. Dans certains moulages, la figure est peinte en couleur chair en vue d'exprimer sa vulnérabilité, et au moins un moulage est doré afin de représenter son essence précieuse tout comme une figure funéraire en or de l'Egypte ancienne.

Nous n'analyserons pas ici la signification métaphorique de chacune des compositions de Giacometti. Frappés par le fait que quelques thèmes sculpturaux, dont les représentations d'une femme qui marche, reviennent à différentes périodes de l'oeuvre de Giacometti, nous nous demandons quel est le lien qui rattache toutes ses sculptures entre elles. Nous essayons d'analyser l'imagerie métaphorique afin de mettre à jour les mythes fondamentaux qui sont sous-jacents.

La femme qui marche entre deux boîtes peut rappeler la *Femme qui marche* de 1932; mais que représente donc la cavité triangulaire située juste en dessous du buste de cette figure? Les deux sculptures semblent se rattacher à la figure assise "tenant le vide" de l'*Objet invisible* de 1934 (fig. 8) à *Mère, et fille [qui marche]* de 1932, à *La funambule* de 1943 et à *La nuit* de 1947[38], une sculpture d'une femme marchant sur un piédestal en forme de sarcophage qui a servi de projet à un monument pour la Résistance française. Le thème commun se poursuit dans la *Femme dans une barque* de 1950[39], une autre composition qui rappelle les figures funéraires égyptiennes dans des barques; la dernière oeuvre rappelant ce thème est *Le chariot* de 1950 au sujet de laquelle Giacometti a écrit les lignes suivantes: "En 1947, j'ai vu la sculpture comme faite devant moi, et en 1950, il m'était impossible de ne pas la réaliser, bien que se situant pour moi déjà dans le passé". Giacometti a proposé *Le chariot* pour un monument aux morts de la guerre à Paris au moment où il avait créé de nouvelles formulations pour exprimer ses idées incorporées dans les figures de femmes. Ces oeuvres ont en commun la vision d'une vie qui toujours continue. C'était, en fait, le titre inscrit en toutes lettres *("La vie continue")* sur une composition en plâtre disparue depuis, mais qu'on peut reconnaître à gauche, au premier plan du dessin *Dessin de mon atelier* de 1932; cette composition représente une femme enceinte, semblable à *Caresse* de 1932, qui a le dos tourné à tombeau ouvert[40].

A partir de 1950, Giacometti n'a plus représenté ses figures de femmes en mouvement. L'artiste les a comparées à des arbres élevés, comme c'est le cas de *Trois figures et une tête (Le sable)*, de *Sept figures et une tête (La forêt)* et de *Neuf figures (La clairière)*, datant toutes de 1950 (cat. nos 32, 33). Dans les quelques rares dessins au crayon de couleur de Giacometti, le thème d'un homme qui observe la cime des arbres se répète, comme c'est le cas de la *Petite figure, grand arbre*, de 1962. Giacometti a utilisé ce même motif pour la grille d'entrée du mausolée de E. J. Kaufmann à Bear Run, dans le parc de la maison de Frank Lloyd Wright bâtie au-dessus d'une chute d'eau. L'emplacement avait une trop grande signification pour que le motif soit purement décoratif[41]. Avec ces données iconographiques, l'évolution d'une "femme enceinte" à une "femme qui marche" et à une "femme dans une barque" ou encore à une "femme dans un chariot", et l'équation de la "femme debout" avec l'"arbre" et avec le mythe de la Vie ressort clairement.

L'homme qui regarde l'arbre fait évidemment penser aux bustes d'homme qui sont, dans deux oeuvres *(Le sable, La forêt)*, montés sur les mêmes plates-formes que des femmes debout; la composition d'une femme debout avec une tête d'un homme qui regarde est encore plus visible dans une oeuvre de 1950, *La cage* (fig. 12). Il semble qu'une des facultés de l'homme y soit exprimée, soit la contemplation pensive ou même la compréhension visionnaire, qui est le propre d'un voyant ou d'un artiste, ou encore de l'artiste voyant.

De la série innombrable des sculptures de têtes faites par Giacometti, deux oeuvres présentent un intérêt particulier pour nous: la *Grande tête* de 1950 (fig. 10) et *Le cube* de 1934 (cat. no 19). Car *Le cube* est, comme Giacometti l'a dit à James Lord[42], une tête. Il a été exposé à Lucerne en 1935 sous le titre *Partie d'une sculpture*, placé sur un piédestal tout particulier, dessiné par Giacometti dans le catalogue de Pierre Matisse en 1947[43]. Sur un des côtés, l'artiste a gravé un autoportrait. *Le cube* sert ainsi de support à un portrait et de représentation sculpturale d'une oeuvre d'art. Il s'agit d'une sculpture d'une tête-portrait sur un socle. *(La Grande tête* de 1960, qui incidemment est de même dimension que *Le cube,* est également représentée sur une base qui repose sur une plinthe; les deux éléments sont intégrés à la sculpture). J'ignore quels sont les autres éléments qui devaient s'ajouter à la composition dont *Le cube* devait faire partie. Dans la même année, Giacometti a façonné une figure conique d'une femme enceinte en donnant un titre fort explicatif: $1 + 1 = 3$ (fig. 13); à propos de cette sculpture il a écrit en 1947 la remarque suivante: "Une dernière figure de femme qui s'appelait $1 + 1 = 3$ dont je ne me sortais pas". La proposition que ces deux sculptures devaient former une seule composition, exprimant l'opposition entre l'Art (l'oeuvre d'art, l'artiste) et la Vie n'est qu'une hypothèse, mais nous retrouvons, du moins, le thème dans le dessin *Lunaire* de 1933 (fig. 14). En haut, à gauche, se trouve une tête humaine disloquée; en bas, à droite, une forme stéréométrique qui ressemble beaucoup au *Cube.* Le dessin, dans sa totalité, à l'exception de la tête humaine et d'une partie de la forme abstraite, est soigneusement contre-taillé et fait penser à une gravure. En fait, c'est la gravure du Dürer, *Mélancolie I* de 1514, qui a inspiré Giacometti lorsqu'il a composé *Le cube;* on n'a qu'à retourner cette oeuvre de Giacometti pour constater que les deux polyèdres sont identiques. Comme l'a fort bien démontré Erwin Panofsky[44], *Mélancolie I* est une allégorie de la condition de l'artiste et de son tempéramment mélancolique. Le dessin de Giacometti fait également penser à la série de l'*Atelier du sculpteur* de la *Suite Vollard* de Picasso. Dans une de ces gravures, soit le *Modèle et tête sculptée,* du 1er avril 1933[45], Picasso montre une femme nue vis-à-vis d'une sculpture énorme d'une tête barbue, une composition qui ressemble beaucoup à l'oeuvre de Giacometti, *Lunaire.* Dans une autre, *Sculpteur et modèle agenouillé,* du 8 avril 1933[46], un artiste barbu contemple son modèle féminin nu; une sculpture renversée de tête d'homme se trouve en bas, à droite. La pose du sculpteur est visiblement inspirée de l'ange pensif de l'oeuvre *Mélancolie I* de Dürer; alors que la figure allégorique de Dürer regarde le cube, l'artiste de Picasso contemple le modèle vivant, après avoir jeté sur le plancher son autoportrait sculpté. C'est la combinaison de ces éléments qui dévoile la signification de l'oeuvre de Giacometti.

Dans *La table surréaliste* (fig. 7), on retrouve d'autres éléments inspirés de *Mélancolie I* de Dürer. Le polyèdre, à gauche, se trouve vis-à-vis d'un buste d'une femme voilée; ils sont placés ensemble avec une main humaine et un bol, bol semblable à celui qui repose sur la table située au premier plan de l'oeuvre de Picasso *Modèle et tête sculptée. La table surréaliste* de Giacometti représente certainement la table de travail d'un artiste; de plus, en s'inspirant de travaux d'artistes modernes, tels que Brancusi, Léger, Laurens et surtout Magritte, la signification devient nettement contemporaine[47]. Le plâtre original de *La table* comprend un pilon et un mortier[48], un peu de "piquant" érotique, et peut-être même une référence à un thème plus large. Cet élément manque au moulage en bronze. Puisque *La table surréaliste* a été conçue pour l'exposition surréaliste qui a eu lieu à Pierre Colle en juin 1933, l'oeuvre n'oppose pas seulement l'Art et la Réalité sous une forme allégorique, soit cette antinomie des "corps qui m'ont attiré dans la vie et des formes abstraites qui me semblent vraies en sculpture", comme l'a écrit Giacometti en 1947, mais elle situe le monde de l'artiste (sa table de travail montrant bien son occupation) dans une salle d'exposition où des personnes vivantes opposent la Réalité et l'Art, en regardant l'oeuvre.

Au cours de cette période, Giacometti a fait appel à des simplifications sculpturales pour opposer les facultés de contemplation et de création de l'homme à sa capacité de se reproduire. Dans les *Trois personnages dehors* de 1929 (fig. 4), deux hommes, caractérisés par deux sphères (têtes) et deux pieux (phalli), se dirigent, d'une façon bien déterminée, vers le signe sculptural de la femme. Le thème est encore plus marquant dans *La cage* de 1931. La forme d'une sphère se retrouve dans *Boule suspendue* de 1930, une composition qu'on peut comparer à l'*Idole éternelle* de Rodin de 1889[49]; dans cette oeuvre, un homme, agenouillé devant une femme couchée, les mains derrière son dos, se penche pour l'embrasser, sans la toucher néanmoins. La relation entre l'homme et la femme a également atteint une expression très puissante dans l'oeuvre de Giacometti appelée *Circuit* de 1931 (fig. 5), où une sphère, tournant constamment autour d'un embrèvement taillé dans la planche de bois, n'atteint jamais son but, la cavité étant à l'extérieur du circuit. Dans *Palais à 4 heures du matin*, Giacometti s'est représenté, du moins d'après ses récits poétiques, comme une combinaison d'une sphère et d'une stèle phallique, placées au milieu de la sculpture, entre une figure de mère, à gauche, et un squelette humain simplifié dans une cage (un tombeau) et un squelette d'oiseau à droite; soit entre la procréation et la mort. En fait, cette composition est une adaptation sculpturale de l'*Ile des morts* de Böcklin de 1880, où les côtés gauche et droit sont renversés. Voici maintenant les éléments principaux qui forment le *Projet pour une place* de 1932: une stèle phallique ainsi qu'une demi-sphère représentant une tête d'homme, comme dans l'oeuvre *Homme* de 1929 (cat. no 16), plus un cône symbolisant une femme enceinte, ainsi qu'une forme sinueuse qui ressemble à un serpent. On est certain qu'il s'agit d'un serpent à cause des esquisses d'*Objets mobiles et muets* de 1931 et aussi à cause d'une photographie de Brassaï du studio de Giacometti en 1932[50], qui montre les mêmes éléments façonnés en plâtre de la grandeur du monument. En fait, le *Projet pour une place* était un projet d'une composition monumentale en pierre, conçue de façon à ce que des personnes puissent traverser ou s'asseoir sur un élément en forme de banc[51]. Il est difficile de ne pas interpréter cette composition comme une métaphore de la révélation sexuelle et existentielle fondamentale, telle que le mythe biblique d'Adam et Eve chassés du Paradis la représente[52].

Au cours de la période d'avant-guerre, Giacometti ne s'est jamais autant rapproché d'une composition mythique complexe, conçue comme un grand monument. Après la guerre, les figures masculines de Giacometti, à l'exception de l'*Homme qui chavire* de 1950, sont toujours dans l'attitude du marcheur: *Homme qui marche* de 1947; *Trois hommes qui marchent* de 1948; *La place* de 1948; *Homme qui marche sous la pluie* de 1948; *Homme traversant une place* de 1949 (cat. nos 22, 23, 27). Ils ont en commun avec la sphère du *Circuit* de 1931, le fait d'être toujours sur leur chemin. La composition la plus complexe est *La place* (fig. 15) qui a beaucoup de points en commun, en plus du titre, avec le *Projet pour une place* de 1932. Mais avant de pousser trop loin l'interprétation, nous devons tenir compte du fait qu'entre 1935 et 1946, Giacometti a étudié la phénoménologie de la réalité. Il avait cessé de faire des sculptures conceptuelles et s'était mis à travailler d'après nature dans le but "de faire des compositions avec des figures". Si les études phénoménologiques ont été effectuées dans le but de façonner des compositions avec figures, le résultat final (soit les sculptures allongées, sans pesanteur et sans volume d'après 1946), ne relève pas uniquement de problèmes de perception et de style, mais il dévoile la signification inhérente des projets de compositions. Nous comprenons très bien cet essai de faire des figures de *La place* des doubles de la réalité, surtout lorsque s'y rapprochent des personnes bien vivantes. C'est alors que le visiteur retrouve dans l'oeuvre d'art une expression de sa propre condition, de la même façon qu'il aurait pu retrouver ses ancêtres mythiques dans le *Projet pour une place* de 1932, de grandes dimensions.

D'où *La place* est saisie essentiellement comme un modèle pour un projet monumental, les *Hommes qui marchent* et les *Femmes debout* de 1947-1949, comme des études grandeur nature destinées à entrer dans la composition. En vérité, Giacometti a écrit "études"[53] au verso des photographies les représentant. Lorsque, beaucoup plus tard, Giacometti contempla *La place* au Kunstmuseum de Bâle, il se tint tout près de la sculpture et regarda les figures au niveau des yeux[54]. De cette façon, on peut partager l'espace de la figure; elle ne semble plus minuscule, mais de grandeur nature; la confrontation devient alors une expérience convaincante et vraie. Le visiteur fait partie de la composition[55].

Heureusement, Giacometti a expliqué, par les remarques suivantes, la signification de la composition de quatre hommes qui marchent, placés de façon à ce que leur chemin ne croise pas l'endroit où se tient la femme immobile:

"Dans la rue les gens m'étonnent et m'attirent plus que n'importe quelle peinture ou sculpture. A tout moment, les hommes s'assemblent et se séparent, puis se rapprochent pour tenter de se rejoindre à nouveau. Ainsi, ils forment et transforment sans cesse de vivantes compositions d'une incroyable complexité.[56] . . . Les hommes se croisent sans se regarder. Ou alors ils tournent autour d'une femme. Une femme immobile, et quatre hommes qui marchent plus ou moins par rapport à la femme[57] . . . C'est la totalité de cette vie que je veux saisir dans tout ce que j'entreprends[58]."

La "totalité de la vie" est l'expression qui convient le mieux à la dimension mythique des idées sur la composition de Giacometti. Nous ne pensons pas que cette "totalité de la vie" se réfère seulement à une situation dans le présent, mais à un présent universel. C'est ce thème-ci qui aurait servi au projet de la Place Chase Manhattan.

En 1958, lorsque la banque Chase Manhattan a songé à placer une sculpture sur la place située devant ses nouveaux bureaux à New York, on se proposait de demander à Giacometti un élargissement des *Trois hommes qui marchent*. L'agrandissement aurait porté également sur la plate-forme et la base[59]. Mais l'artiste n'a pas accepté[60], étant donné que la base et la plate-forme caractérisent les *Trois hommes qui marchent* comme un modèle réduit d'une composition destinée à une place, composition qui, lorsque réalisée en grandes dimensions, ferait reposer les figures directement sur le pavé de la place, avec seulement quelques petites plinthes pour les soutenir. Mais Giacometti a proposé une autre composition, pour laquelle il avait effectué des figurines en 1959 ainsi que la grande *Femme debout*, l'*Homme qui marche* et la *Grande tête* dont nous avons déjà parlé dans l'introduction, en 1960.

Nous connaissons bien maintenant la portée métaphorique de chacun de ces éléments et nous pouvons comprendre la signification mythique du groupe considéré comme un tout. Dans un seul projet, on trouve les thèmes de plusieurs compositions antérieures. La *Femme debout* n'est pas seulement un agrandissement de la *Femme debout* de 1947-1949, mais comprend la signification d'une femme en mouvement, datant des années précédentes, ainsi que l'équation de l'arbre de 1950. L'*Homme qui marche* n'est pas seulement une représentation de l'homme en mouvement perpétuel; à cause de sa grandeur naturelle et de son style destiné à créer un "double de la réalité", il est également le double de toutes les personnes qui traversent la Place Chase Manhattan. La *Grande tête* est une tête sculptée sur un piédestal, certainement une oeuvre d'art, un portrait allégorique de l'artiste contemplatif et "clairvoyant" et, parce qu'elle est apparentée à l'oeuvre romaine *Tête colossale de Constantin*, elle représente l'héritage culturel de l'homme[61].

Lorsque Giacometti disposa les petites figures sur le plan de l'emplacement, il dit à Gordon Bunshaft, l'architecte, qu'il pouvait les placer n'importe où. Il dit plus tard de ses sculptures, lors de l'installation de la rétrospective à Zurich en 1962, que l'on pourrait les placer là où les livreurs les auraient laissées[62]. Ce qui indique qu'il avait résolu le problème de la perspective sculpturale d'avance, ayant su créer, grâce à son style, l'effet de la distance et ayant su transmettre le point de vue du spectateur. Ce point est, d'ailleurs, une des plus grandes réalisations de Giacometti dans *La place* de 1948, qu'on peut "aborder" de tous les côtés. L'artiste a analysé ce problème sous un jour nouveau dans les compositions des *Places* de 1950, qu'on a également intitulées: *Le sable, La forêt* et *La clairière*. La perspective sculpturale inhérente aurait été l'élément qui aurait bien fait intégrer le groupe Chase Manhattan au site dominé par les gratte-ciel. Le groupe aurait également pris une nouvelle signification par rapport aux êtres réels, justement parce qu'il s'agit d'une perspective imaginaire et spirituelle. Le fait que Giacometti a néanmoins soigneusement disposé le groupe à la biennale de Venise de 1962 et que frère Diego a surveillé l'installation au cours des expositions à Paris en 1969 et à Rome en 1970, ne contredit absolument pas cette notion; en effet, dans ces derniers cas, il fallait faire ressortir le groupe parmi toutes les autres oeuvres exposées.

Pour diverses raisons, le projet de la Place Chase Manhattan n'a jamais été réalisé. L'une de ces raisons était sans doute d'ordre artistique: la commande lui parvenait à un moment où le thème d'une composition complexe à plusieurs figures "se situait pour moi déjà dans le passé" selon les propres paroles de l'artiste au sujet du *Chariot*. En fait, les *Femmes de Venise* de 1956 représentent la seule composition de groupe après le *Projet pour un monument d'un homme célèbre* de 1956. A partir de 1954, Giacometti s'est concentré sur la sculpture de figures et de bustes simples, assis ou debout, et il s'est attaché surtout au dessin et à la peinture. Après une période de transition, de 1956 à 1958, il a mis à jour un concept nouveau de l'espace et de la figure. Mais, bien après, au cours de l'été 1965, en essayant un matériel de peinture nouveau, que lui avait préparé un ami peintre, Giacometti a esquissé, un peu comme un emblème personnel, une tête "voyante" au premier plan, observant la scène visionnaire d'une femme immobile placée au lointain et d'un homme marchant, qui traverse l'espace vide d'une *Place* qui fait penser à Callot[63].

En tant que sculpteur, Giacometti n'avait plus besoin de compositions métamorphiques pour exprimer l'intensité mythique qui se dégage de ses derniers *Bustes de Diego* et *Bustes d'Elie Lotar* de 1964-1965. Ils rappellent les romans de Samuel Beckett, surtout l'*Innommable* de 1953 où seul un "je" loquace est situé au foyer de l'espace et du temps: un "je" qui ne se rapporte à aucun mythe à moins qu'il ne se raconte sans cesse son histoire et son mythe à soi-même; un "je" dont l'existence n'a pas de signification, à moins que le besoin de penser, de parler, de dessiner, de peindre et de sculpter, de voir et d'aimer ne soit saisi comme la force qui nous donne le courage de continuer à vivre. C'est ce qu'Alberto Giacometti a exprimé de façon si poétique comme étant sa réalité, dans un petit texte de 1957: *Ma réalité*. L'Art, la Réalité et le mythe de la Vie devinrent un tout.

Giacometti, le peintre

La façon de voir si personnelle et si différente de Giacometti a donné lieu à un style tout aussi original en peinture qu'il l'est en sculpture. Parce que Giacometti était le fils d'un peintre, il a dû faire abstraction de sa formation première et trouver de nouveaux moyens. Par conséquent, sa peinture se divise en deux périodes principales: les premières années, avant 1933-1935 et l'époque datant d'après 1935-1937. Chaque période se caractérise par des traits marquants, dont le plus évident est l'utilisation de la couleur et le traitement de l'espace pictural.

L'évolution du style de son père Giovani et de son parrain Cuno Amiet avait reflété l'évolution de l'impressionnisme au post-impressionnisme et au symbolisme, au fauvisme et à l'expressionnisme. Vivant dans ce milieu artistique, le jeune Giacometti s'est rendu compte que la peinture était essentiellement l'utilisation de la couleur en tenant compte de la structure, de la représentation, de la composition et de l'expressivité. Au cours de l'hiver de 1919-1920, son professeur à l'Ecole des Beaux-Arts de Genève, David Estoppey, un peintre de plein air qui était devenu divisionniste, lui a appris une touche plus subtile que celle qu'il utilisait avant. Cependant, Giacometti a continué, pendant longtemps, à utiliser la disposition des couleurs, manière typique du post-impressionnisme, pour créer l'espace pictural, et d'après la technique de Cézanne d'accuser les volumes en ajoutant des taches de couleurs complémentaires et des accents de lumières.

Lorsque Giacometti vint à Paris en 1922, les peintres avaient, depuis longtemps, adopté le cubisme et les moyens cubistes de remplacer les trois dimensions illusoires de la peinture. A ce moment, le dadaïsme était en train de se transformer en surréalisme. Mais ces mouvements n'étaient d'aucune utilité à Giacometti, étant donné que sa préoccupation d'alors était d'arriver à une plus grande solidité structurale que celle proposée par le divisionnisme. Il s'est donc mis à étudier Cézanne d'une façon plus approfondie. Après 1925, il semble avoir abondonné la peinture à Paris, même s'il continuait à peindre des portraits et des paysages lorsqu'il retournait chaque année à Stampa. C'est alors qu'il se mit à essayer les solutions trouvées en sculpture, telles que les représentent les portraits de son père, datant d'entre 1927 et 1932 (par exemple, cat. no 49) qu'on peut comparer aux divers *Portraits du père de l'artiste* en bronze de la même période (cat. no 78). Dans d'autres peintures, il se rallie encore au style des post-impressionnistes[64] ou rivalise avec l'académisme élégant d'un de ses nouveaux amis parisiens, Christian Bérard[65]. Ces oeuvres donnent la preuve certaine de son talent de peintre de grande valeur. Et pourtant, jusqu'à cette date, il lui avait été impossible de trouver de nouvelles solutions post-cézanniennes au problème de la représentation de volumes imaginaires et de leur espace environnant sur le plan bidimensionnel. D'où la transition de la première à la deuxième période de peinture.

L'espace pictural surréaliste, que ce soit le domaine conceptuel de Miró ou encore les perspectives qui se rapetissent dans l'éloignement de Tanguy, ne lui a pas donné la clef des problèmes qu'il a connus dans sa peinture vers le milieu des années 30. L'abstraction n'était pas une solution plausible, puisque Giacometti voulait représenter des objets réels situés dans un espace réel. Il n'existe, à notre connaissance, aucune peinture surréaliste de Giacometti; mais cet artiste a composé quelques poèmes et quelques dessins surréalistes[66]. Tout comme l'évolution de sa sculpture, les études d'après nature ont entraîné un changement radical de la peinture de Giacometti. Nous ne connaissons qu'une seule esquisse à l'huile entre 1933 et 1937: un nu debout dont la pose est strictement frontale, les mains près des hanches, et à l'arrière-plan une sculpture peinte d'une femme debout sur un piédestal élevé; ces deux éléments sont manifestement des études pour un projet sculptural (fig. 16)[67].

En 1937, Giacometti a peint deux chefs-d'oeuvre qui contiennent, à l'état embryonnaire, tous les problèmes sur lesquels il s'est penché plus tard et révèlent la pleine mesure de son talent de peintre. Il s'agit de *La Pomme* (fig. 17) et de *La mère de l'artiste* (fig. 18). Giacometti s'inspire de Cézanne pour le sujet et le travail au pinceau. Toutefois, le concept de l'espace, l'utilisation de tons gris et beiges afin d'indiquer l'espace imaginaire et la frontalité presque exclusive, qui insiste, dès l'abord, et dépasse le plan en faisant sortir la figure de la toile, sont les innovations de Giacometti. Il serait exagéré de dire que la figure dans l'oeuvre *La mère de l'artiste* semble être assise devant la toile, mais on y discerne nettement cette tendance qui se développera, puis finalement deviendra essentielle, dans l'oeuvre de Giacometti. Il a rivalisé avec le cubisme sans jamais y adhérer en poursuivant dans cette veine. Le volume de la tête fait surtout penser aux dessins post-cubistes de Giacometti. La figure est modelée comme si elle était éclairée asymétriquement par un jeu de lumière[68]; l'épaule sur la gauche projette une ombre sur l'arrière-plan, créant ainsi un effet d'espace derrière la figure; l'artiste utilise de la peinture blanche pour accentuer la lumière, une technique qu'il n'a jamais complètement abandonnée. Mais on y trouve aussi à côté du coude gauche des parties blanches qui représentent ni la lumière ni la continuation de l'ombre sur le mur; en fait, elles annoncent l'utilisation du blanc et du gris comme une absence de couleurs visant à créer l'espace pictural. Bon nombre des lignes verticales et horizontales, qu'on retrouve également dans *La pomme,* n'ont aucune signification sur le plan de la représentation, mais elles servent à créer, comme c'est le cas dans les dessins, l'espace pictural.

Il semble qu'aucune toile ne subsiste de la période de 1938 à 1945, période durant laquelle il s'est intéressé au dessin pour étudier la représentation des objets perçus à une certaine distance. L'année 1946 a donné lieu à un nouveau début avec *La chaise jaune dans l'atelier* (cat. no 19). Nous pouvons maintenant proposer des subdivisions chronologiques des peintures réalisées par Giacometti les années suivantes, d'après ses techniques de création de l'espace pictural. Mais les dates que nous proposons ne doivent pas être considérées comme absolument rigoureuses.

Le véritable objet des peintures de 1946 à 1949 est l'espace; soit une matière tridimensionnelle qui n'a ni substance ni couleur, mais dont la présence est très tangible et que nous ne pouvons situer, sinon d'une façon négative, entre les objets qui l'obstruent, et autour. Le sujet à lui seul: un coin de l'atelier montrant un meuble ou une figure humaine mise sur le même plan qu'un objet inanimé, d'ordinaire à l'arrière-plan, sert à représenter l'espace. Ces peintures à l'huile, rapidement exécutées, sont plutôt des dessins sur toile, où des lignes colorées ressortent généralement sur un fond gris ou bistre.

A partir de ce moment, les tons gris de Giacometti doivent être perçus avant tout comme une façon d'exprimer l'espace intérieur et extérieur et non pas comme une façon d'exprimer une atmosphère ou une humeur. Leur qualité est conceptuelle; le noir indique les lignes de la composition, les blancs indiquent la lumière, ou encore accentuent et projettent certains éléments comme l'extrémité d'un nez. La subtilité des tons gris, beiges et bistres a caractérisé le style de Giacometti, peintre, au moment où les figures immatérielles ont caractérisé son style sculptural. Cet emploi de tons neutres est accompagné d'une absence de représentation de lignes courtes qui ne représentent rien, mais, qui parfois s'assemblent pour former une sorte de toile d'araignée qui traverse les objets et s'infiltre entre eux. Les lignes pourraient être comparées au regard de l'artiste, qui se déplace rapidement et constamment autour de la composition, d'un objet à un autre, en mesurant les distances qui les séparent. De même, les lignes de composition noires représentent le fait d'observer les objets plutôt que d'en définir les contours.

Aux alentours de 1948, un raccourci rapide de parties, de figures ou d'objets servit à Giacometti pour rendre la perspective visuelle. Les jambes d'une personne assise semblent énormes, et la tête, à l'arrière-plan, trop petite par rapport au torse. Mais nous utilisons les termes "énormes" et "trop petite" seulement si nous tenons compte des normes traditionnelles de la peinture et de nos conceptions préétablies des objets. En essayant de peindre un objet qui renfonce dans l'espace, tel que l'oeil le perçoit véritablement, sans qu'il y ait une correction mentale inconsciente, Giacometti est parvenu à "distordre" les proportions comme le fait la caméra qui présente les objets au premier plan comme étant trop grands par rapport au reste[69].

Au début des années 50, Giacometti utilisa de plus en plus une technique qu'il avait, en quelque sorte, toujours utilisée et qui remonte à Hodler: soit, l'emploi de lignes parallèles aux bords de la toile afin d'encadrer la composition. Ces lignes délimitent le champ de vision de l'artiste lorsqu'il porte attention sur l'objet situé au centre de ce champ et établie une relation appropriée entre le motif et la grandeur et la forme du support. L'encadrement intérieur sert ainsi de lien entre l'Imaginaire (l'objet peint dans son espace imaginaire) et le Réel, c'est à dire, la peinture entière vue comme image et faisant partie de l'espace réel.

Cette fonction médiatrice devint encore plus prononcée lorsque Giacometti transforma l'encadrement en bande plate ou en une multitude de lignes concentriques, qui ressemblent à l'encadrement réel d'une peinture ou d'un miroir. Il est de prime importance d'interpréter le pourtour peint comme une représentation d'un encadrement de miroir. Si on saisit l'image comme réflection sur la surface plane d'un miroir, on peut la représenter à l'aide des moyens traditionnels de perspective illusoire sans toutefois abolir la bidimensionnalité de la surface picturale. Giacometti a ainsi créé un concept nouveau de l'espace pictural, qu'on peut appeler "espace de miroir." L'espace de miroir de Giacometti ne se veut pas réel, mais il est immédiatement saisi comme un espace imaginaire. Parce qu'il était tellement préoccupé de représenter les objets et l'espace qui les sépare de l'observateur le résultat le plus significatif de ce concept du miroir pour Giacometti était l'impression que la figure peinte semblait être à une distance double de la distance normale de l'observateur (étant donné que la distance entre l'objet réel et le miroir dans lequel il se reflète, est également reflétée et ainsi doublée). La distance entre la figure peinte et l'observateur ne peut être réduite, parce que la figure semble située dans l'espace impénétrable qui se situe derrière le miroir. Et cependant, l'original de cette réflexion semble se situer de notre côté du miroir; l'espace pictural semble l'image-miroir de notre propre espace réel, ce qui crée un lien existentiel très étroit entre la peinture et celui qui la regarde

L'artiste crée un autre lien existentiel important en orientant de face les poses et le regard des personnages. On retrouve cette tendance chez les symbolistes; Giovanni Giacometti l'a utilisée dans son *Autoportrait avec procession funèbre de Segantini à l'arrière-plan*[70] de 1899, pour exprimer l'idée que l'artiste est seul pour affronter sa destinée après la mort de son maître. Hodler a définitivement adopté la frontalité dans ses portraits. Mais Alberto Giacometti est allé encore plus loin que Hodler, en créant de nouvelles techniques pour rendre les figures de face et en donnant une signification nouvelle à la frontalité. Il rapprocha le sujet de l'observateur d'une façon intense et réelle, en s'inspirant plus ou moins des effets cinématographiques. (En fait, Giacometti a souvent critiqué la qualité d'illusion rendue dans les films). Lorsqu'un sujet filmé fixe la caméra, son regard reflète directement dans celui du spectateur; en outre, la fiction du temps et du lieu est brusquement rompue: l'espace imaginaire de l'écran semble devenir une partie de l'espace réel de la salle. Le sujet filmé prend la forme et la qualité d'une présence fortement ressentie comme étant réelle et devient, d'après les propres paroles de Giacometti, "un double de la réalité."

Aux alentours de 1954, le problème de la création de l'espace pictural n'était pas aussi primordial que celui de la représentation de la figure en tant que réalité vraisemblable. Appliquant une nouvelle technique, Giacometti se mit à peindre des figures sous la forme d'apparitions plutôt que sous celle de réflexions de la réalité. Il considéra la toile comme le tissu d'un magicien, le peignant de tons gris nébuleux et immatériels, allant du pâle au foncé. Les têtes et les figures, délimitées à l'aide de quelques traits noirs, gris et blancs, surgissaient d'un fond ambigu comme une présence magique et inattendue. Par le récit de nombreux modèles, nous apprenons que Giacometti peignait très rapidement ses portraits, qu'il les effaçait avec des tons gris et qu'il s'y reprenait à plusieurs reprises au cours d'une seule séance. Le travail, une fois fini, semble le dernier d'une série d'états présentant la même perfection, comme le montrent les photographies de diverses étapes d'une même oeuvre.[71] Dans un sens, le fait de peindre était plus important que le résultat. Le but de Giacometti n'était pas d'obtenir une très grande similitude physique, mais de recréer la même apparition, jusqu'à ce qu'elle ressemble, le plus possible, à une présence telle qu'elle est perçue au premier coup d'oeil. Giacometti cherchait "non pas la similitude, mais la ressemblance."

Le style de Giacometti dans les oeuvres da la moitié des années 50 peut se caractériser par une incarnation finale de son approche phénoménologique de la réalité. Même si ses peintures des diverses phases de son évolution entre 1947 et 1956 sont très différentes, dans chacune d'entre elles, le modèle a été traité comme une fonction de la perception visuelle de l'artiste à une certaine distance. En 1956, Giacometti a traversé une crise qui se poursuivit jusqu'en 1958. Elle semble attribuable aux problèmes qu'il se posa lorsqu'il fit les portraits de son ami japonais Isaku Yanaihara. Ses traits orientaux exigeaient une certaine similitude et une identité personnelle qui ne dépendait pas de la seule perception de l'artiste. En observant la physionomie exotique de Yanaihara, Giacometti se rendit compte que la réalité du modèle était en lui plutôt que dans la vision de l'artiste, le considérant comme une apparition. Fait caractéristique chez Giacometti, à partir de ce moment, il se remit à analyser de fond en comble sa façon de peindre et changea son concept de l'espace pictural.

La série de portraits de Yanaihara d'entre 1956 et 1961 (fig. 20) montre l'évolution du dernier style de Giacometti. Tout comme dans le cas des sculptures en bronze, les figures peintes semblent plus solides, les images plus structurées. La tête prend la forme d'une sphère composée de plusieurs courbes, qui, cependant, coïncident rarement avec les contours ou les traits caractéristiques. Le regard, qui a toujours été important, est encore plus accentué; en fait, c'est le regard du modèle qui prédomine maintenant dans la peinture. Ce n'est pas la description anatomique de l'oeil, mais la cohérence qui se dégage du visage qui crée l'intensité du regard; soit la preuve tangible de l'existence réelle du modèle. L'artiste ne peut pas peindre le regard même; mais là où les lignes circulaires laissent la toile plus ou moins vierge, on assiste à une transformation quasi magique de la peinture matérielle en une présence immatérielle du regard.

Les figures et les demi-figures de cette dernière période ne sont souvent que des esquisses, plus riches en couleur que les oeuvres des années précédentes.

Giacometti leur a donné un caractère de vraisemblance plastique et spatiale au moyen d'une combinaison de courbes menant dans les plans du fond, d'une accentuation des lumières puissantes et de lignes resserrées plus sombres, structurant le tout. L'espace pictural est caractérisé par une superposition de tons beiges, gris et blancs, qui donne quelquefois l'effet d'une auréole entourant la figure entière. La tête d'un modèle assis vu de face (qui donne une impression d'un éloignement plus grand que le corps) est de beaucoup réduite et le torse, les mains sur le genou, qui ressortent à l'avant-plan, font encore plus reculer la tête. Mais si éloignée qu'elle soit, son regard fixe se dirige d'autant plus fortement vers le spectateur.

L'intensité du regard ainsi que la frontalité donnent aux derniers portraits de Giacometti la puissance spirituelle d'une image sacrée. La dernière réalisation de Giacometti, en tant que peintre, consiste à considérer le portrait comme une icône sécularisée. Dans ce sens, il est très différent de Cézanne. Le portrait de *Caroline* de 1962, peut, par la disposition générale de la composition et la pose à mi-corps, faire penser au portrait de *Madame Cézanne*,[72] bien que les modèles de Cézanne ne soient jamais vus uniquement de face. Dans les deux peintures, les courbes ovales formées par les bras se dirigent de l'avant-plan au plan médian. Ces ressemblances ne sont pas complètement attribuables au hasard,[73] mais l'effet demeure très différent. Cézanne avait demandé à sa femme de poser pour lui afin de faire une bonne peinture, complète et présentant de bonnes qualités de forme qui arrivent à rendre les traits et la personnalité du modèle. Quant à Giacometti, il a utilisé tous les moyens artistiques dont il disposait pour rendre la présence unique du modèle, pour créer un double spirituel de Caroline. Il a fait de Caroline une Madame Cézanne sanctifiée.

Les dernières peintures de Giacometti figurent parmi les chefs-d'oeuvre de l'art moderne. En effet, elles présentent toutes les qualités qui révèlent le talent d'un grand peintre: la beauté abstraite des moyens mis à sa disposition, l'intensité constante de l'exécution et, surtout, le caractère spirituel, inépuisable, du sujet.

Giacometti, le dessinateur

Petit garçon, Giacometti s'est servi de son crayon comme d'une arme. Il était fier du fait qu'il pouvait dessiner n'importe quoi beaucoup mieux que n'importe qui. Fils de peintre, vivant dans un village de cultivateurs, son talent indéniable pour le dessin lui donna une grande confiance en lui-même et souleva une certaine admiration parmi ses camarades. Il dessinait d'après nature avec une grande habilité et une économie des moyens surprenants. Il recopiait, avec une grande passion, les gravures de Dürer et les esquisses de Rembrandt jusque dans le moindre détail. A dix ans, il signa même quelques-uns de ses dessins en empruntant au monogramme de Dürer la disposition de ses initiales. Jusqu'à la fin de sa vie, le dessin a fait partie de lui-même.

Le style de l'*Autoportrait* effectué à dix-sept ans, qui nous impressionne par sa grande maturité, reflète l'utilisation de lignes hachurées, fines ou épaisses, tout comme le faisait son père. Le jeune Giacometti s'est également inspiré de la technique de Hodler qui rend les objets à l'aide d'un contour net, ce qui crée le sentiment du volume sans qu'il y ait une nette délimitation. Il commença également à doter ses motifs de pourtours.

Au cours de ses études à Paris, Giacometti s'est distingué par sa facilité à obtenir les proportions exactes en traçant des marques aux points principaux des formes et en les reliant à l'aide de lignes droites afin de diviser les volumes en plans ou en facettes. L'effet de cette mise en boîte est plutôt académique et ne rend pas l'apparence de la réalité. Il abandonna cette technique aux alentours de 1925, mais la réutilisa en 1935-1936 pour éviter que ses têtes ne se disloquent lorsqu'il en faisait l'étude.

A partir d'environ 1931, Giacometti a utilisé deux styles différents à la fois. A Paris, lorsqu'il dessinait les thèmes de ses sculptures surréalistes ou lorsqu'il participait aux publications surréalistes, il préférait un contour net, comme celui de Picasso ou de Masson. Toutefois, à Stampa, il se mit à explorer l'expression phénoménologique des objets placés devant lui, un procédé révélé dans une anecdote significative que Giacometti raconte à David Sylvester. Il était en train de dessiner des poires sur une table à une distance normale pour dessiner des natures mortes et pourtant les poires paraissaient très petites au milieu de la feuille de papier. Son père se fâcha et dit: "Mais recommence donc et dessine-les telles que tu les vois!". Un demi-heure plus tard elles avaient exactement les mêmes dimensions, au millimètre près, que les précédentes.[74]

De très petites têtes au milieu d'une feuille sont également caractéristiques des dessins de Giacometti de la fin des années 40. Cela ne veut pas dire qu'il utilise partiellement le papier (ça serait le cas dans des esquisses traditionnelles), mais signifie que l'identification de la feuille entière correspond au champ de vision de l'artiste.

Toutefois, les dessins de personnages de 1945-1946 montrent plus souvent le modèle comme étant très grand, presque immatériel et présentant des contours flous, comme si l'image n'était pas au point; ces études ont entraîné le style sculptural d'après-guerre de Giacometti que nous pouvons caractériser comme le dessin dans l'espace. Le dessin a donc été essentiel à l'évolution du style de Giacometti; mais, qui plus est, il a été essentiel à sa perception. Faire des copies d'oeuvres a été sa façon de les lire et de les comprendre. Le fait de dessiner constamment d'après nature a été sa façon d'entrer en communication avec les objets de sa perception et de les recréer.

Bon nombre de dessins du milieu des années 50 donnent l'impression que les lignes ne sont que des traces de l'oeil qui se déplace, plutôt que des contours. En effaçant savamment Giacometti a créé des taches grises à l'extérieur ou à l'intérieur des contours, créant ainsi un effet immatériel et spatial autour des objets. En effaçant des traits dans les yeux d'un portrait, il a su donner une apparence de vie au regard. Les endroits laissés intacts sur la feuille servent de fond neutre au dessin et de substance imaginaire au sujet et à son espace environnant, une caractéristique, bien sûr, de tous les grands dessinateurs. Les dessins suivants excellent à rendre le rythme et l'utilisation quasi abstraite des courbes ovales qui entourent, plutôt que délimitent les motifs, une technique qui fait encore penser à Hodler et surtout à Cézanne. Au cours des dernières années, le style rapide, expansif et presque caricatural de Giacometti rappelle celui de Toulouse-Lautrec. Mais les dessins des vingt dernières années révèlent, avant tout, le style caractéristique et unique de Giacometti à cause de leur complexité et de leur grande beauté graphique. L'artiste a voulu en faire des oeuvres complètes; à ce titre, elles sont grandement appréciées des amateurs. Les motifs sont inspirés du milieu où vivait l'artiste à Paris et à Stampa: des intérieurs, des natures mortes et des paysages. Un nombre surprenant d'entre eux représentent les sculptures de Giacometti, non seulement en tant qu'objets meublant ses studios, mais en tant que thèmes essentiels à son dessin. Il esquissait constamment sur des bouts de papier, ses motifs sculpturaux; il dessinait ses modèles de mémoire et montrait comment il façonnait les têtes. La représentation la plus complète de son atelier est la vue panoramique effectuée sur deux feuilles de papier en 1932. Ces dessins, un cadeau pour la comtesse Visconti, contiennent des descriptions détaillées de toutes les oeuvres qu'elle avait vues au cours de ses visites à l'atelier, oeuvres que, d'après la dédicace inscrite au bas de la plus grande feuille, "vous m'avez fait la grande joie de ne pas trouver détestables."

Giacometti a dessiné d'autres "inventaires" dignes de mention de ses sculptures et de son atelier pour les catalogues d'expositions qui ont eu lieu à la Galerie Pierre Matisse en 1948 et en 1950, et chez Maeght en 1951, le dernier dessin étant sur du papier à transfert. Il semble que Giacometti, qui a constamment détruit ce qu'il avait modelé et peint et qui cherchait toujours de nouvelles visions et de nouveaux buts, a fait appel au dessin pour conserver ses projets et pour donner une certaine unité à sa vie et à son oeuvre.

Giacometti, le graveur

L'oeuvre graphique de Giacometti est considérable, bien qu'il ne soit pas vraiment intéressé aux techniques de cet art. Comme beaucoup d'autres artistes, il a appris la gravure dans l'atelier de Stanley William Hayter, un graveur anglais qui travaillait à Paris. En 1933 et en 1934, Giacometti y a fait trois gravures (comme épreuves uniques ou encore en tirage de trois au maximum) d'après trois de ses sculptures: *Tête cubiste*, l'*Objet invisible* et *La table*.[75] Il a fait d'autres gravures pour illustrer la version originale de *Les pieds dans le plat* de René Crevel en 1933 (une gravure) et de *L'air de l'eau* d'André Breton en 1934 (quatre gravures).[76] Le caractère linéaire et l'imagination surréaliste de ces gravures ont nettement été influencés par les illustrations d'André Masson. En 1935, Giacometti a donné une de ses oeuvres pour un des recueils de gravures d'avant-garde les plus importants de l'époque, les *23 gravures* d'Anatole Jakovski. Giacometti y combine certaines des formes symboliques de ses sculptures de 1930-1933.[77]

Il semble que l'artiste n'ait fait aucune gravure entre 1936 et 1947, moment où on lui demanda d'illustrer les *Histoires des rats* de Georges Bataille et les *Regards sur la peinture* de Pierre Loeb.[78] Ses gravures étaient des oeuvres indépendantes dont le sujet était inspiré de son milieu environnant (son atelier) et de motifs connus. Puis suivit tout une série ininterrompue de gravures et de lithographies, publiées en tant qu'illustrations et hors-textes dans les revues d'art, les catalogues d'expositions et les revues littéraires.

A partir de 1951, les lithographies, conçues comme oeuvres autonomes, ont de beaucoup surpassé le nombre de gravures. Le dessin original des lithographies a été fait à l'aide d'un crayon de lithographe sur du papier à transfert plutôt que sur une pierre. Utiliser une technique sans pouvoir effacer constituait un défi nouveau pour Giacometti. Toutefois, sa préoccupation première ne portait pas sur les exigences et les qualités de l'impression, mais sur la présentation du sujet: son atelier rempli de sculptures, des intérieurs représentant sa femme et son frère, et les pièces et paysages bien connus de Stampa. D'autres artistes, comme Picasso et Rouault, ont, en vérité, été plus attirés par ce moyen que ne l'a été Giacometti.

Et pourtant, durant les dernières années de sa vie, Giacometti a réalisé une série de gravures qui met à jour sa grande maîtrise de cette technique. Cette série est l'album *Paris sans fin* (fig. 21) commandé par E. Tériade en 1957 et publié dans une édition de 250 exemplaires en 1969, après la mort de Giacometti. Elle comprend 150 lithographies et un texte très personnel de l'artiste.

Au point de départ, le texte devait remplir entre 16 à 20 pages. Toutefois, dans le livre publié, six pages sont laissées en blanc, ce qui donne au texte l'apparence d'un fragment, même si Giacometti n'avait plus rien à ajouter à ce qu'il avait dit. Son caractère fragmentaire, spontané et son contenu apparemment choisi au hasard est, en fait, voulu comme l'est la sélection des scènes de Paris. Giacometti s'inspire de tout ce qu'il a étroitement lié à la vie parisienne: son quartier et son atelier, sa rue, le café du quartier, Montparnasse, ses amis et connaissances, les scènes érotiques, les salles d'expositions, les parcs, les quais—Paris sans fin. Quelques-unes des vues dessinées à travers les vitres de restaurants montrent une utilisation intéressante de lettres pour distinguer et animer l'espace extérieur et l'espace intérieur.

La série a souvent été négligée pendant des semaines ou des mois à la fois. Au cours de ces mois, le projet changeait de dimension et de signification, tout comme l'artiste lui-même changeait. Il a écrit les lignes suivantes: "Sur mon lit, 30 lithos à refaire pour le livre, interrompu depuis deux ans; j'ai essayé de reprendre les mêmes motifs: vues de rues, intérieurs, cela ne va plus, où et comment reprendre? Paris se réduit pour moi maintenant à chercher à comprendre un peu la racine d'un nez en sculpture." Ces sentiments ont mis en danger tous ses efforts: "(Je pourrais aussi bien copier) le dossier de la chaise là devant moi. . . ."

Tout comme pour ses peintures et ses sculptures d'après 1958, il a trouvé un nouveau concept spatial. Giacometti sous-entend également qu'il aurait trouvé un nouveau concept du temps. Il poursuit:

> "ou le petit réveil noir et rond sur la table, qui remplit la pièce, non il ne la remplit pas, mais comme un point partant duquel on voit le tout et les verrières et le plafond, l'arbre dehors où chante le merle le matin à l'aube, ou même juste avant l'aube, chant qui en juin ou l'année passée 1963, était pour moi le plus grand plaisir de la journée, de la nuit . . ."

Nous constatons ainsi que tout semble dérivé du réveil-matin, une fois qu'il est devenu le point de concentration de l'attention de l'artiste. Il représente le point focal aussi bien de l'espace que du temps; car tout: l'expérience vécue à la fois à l'intérieur et dans la cour, le temps présent et le souvenir des temps passés, y trouve son commencement.

Paris sans fin, ainsi que les bustes d'*Annette* de 1962 à 1964, les bustes de *Diego* et d'*Elie Lotar* de 1964 et de 1965, et les peintures de *Caroline* de cette même période, représentent le testament artistique tout personnel de Giacometti. L'artiste a quitté Paris pour la dernière fois le 5 décembre 1965. Il est mort à Coire (Suisse) le 11 janvier 1966. Peu avant sa mort, il a écrit ces quelques lignes révélatrices pour terminer *Paris sans fin:*

> *"Le silence, je suis seul ici, dehors la nuit, tout est immobile et le sommeil me reprend. Je ne sais ni qui je suis, ni ce que je fais, ni ce que je veux, je ne sais pas si je suis vieux ou jeune, j'ai peut-être encore quelques centaines de milliers d'années à vivre jusqu'à ma mort, mon passé se perd dans un gouffre gris . . ."*

En 1962 (presque au milieu de sa vie) il avait comparé son existence à un palais fragile qu'il avait construit et reconstruit à l'aide d'allumettes.[79] Et maintenant, à la fin de sa vie, il conclut avec ces mots: ". . . et les allumettes de loin en loin là par terre comme des bateaux de guerre sur la mer grise."

(Traduit du texte anglais par
le Ministère des Communications
du Québec)

Notes

Les références citées dans la bibliographie sont abrégées.

1. Au cours de nombreuses entrevues, qui ont eu lieu après 1960, Giacometti a souvent parlé de l'impossibilité d'atteindre son but. Consulter par exemple, Ludy Kessler, *Conversation avec Alberto Giacometti*, télévision suisse, Lugano, 1964, qu'on trouve en partie dans l'article de Giorgio Soavi, "Il Sogno di una testa", Playmen, vol. III, Rome, janvier 1969, p. 153.

2. Renseignements recueillis à partir d'une conversation avec M. Gordon Bunshaft de New York, en juin 1973, sur le projet de Giacometti au sujet de la place Chase Manhattan.

3. On trouvera dans le chapitre *Evolution de son style sculptural,* notamment les pages . . . à . . . , une analyse de l'évolution de cette composition sculpturale.

4. Lord, L'Oeil, 1966, p. 67.

5. M. Gordon Bunshaft m'a communiqué ce renseignement. Voir également James Lord, note 4, et Hess, *Art News,* 1966.

6. Giacometti a exprimé cet avis lors d'une conversation avec M. Ernst Beyeler, Bâle, novembre 1965; information communiquée oralement par M. Beyeler.

7. Voir le fac-similé dans le catalogue de 1948 de la Galerie Pierre Matisse, p. 31.

8. Lettres non publiées de Giovanni Giacometti adressées à Cuno Amiet, le 30 janvier et le 14 mars 1920. Archives Cuno Amiet, Mme Lydia Thalmann-Amiet, Oschwand (Suisse).

9. D'après le plus piquant d'une série de récits apocryphes. Voir également les chronologies de George Mauner dans le catalogue de l'exposition *Trois peintres suisses,* Musée d'art de l'Université de la Pennsylvanie, 1973, pp. 79, 128.

10. Malheureusement la publication dans le catalogue de 1950 de la Galerie Pierre Matisse ne distingue pas clairement entre les deux textes (dans la traduction anglaise). Ce qui semble avoir été le premier texte débute par le deuxième paragraphe de la p. 5 et se poursuit au cours des pp. 6 et 9; on trouve des extraits de l'original français, accompagné d'esquisses, aux pages 8, 10, 12, 14, 16, 18, 20, 24. La traduction du deuxième texte figure à la p. 3 et au premier paragraphe de la p. 5.

11. *Minotaure,* 1933.

12. "A propos de Jacques Callot," *Labyrinthe,* 1945.

13. James Lord, "Scarnificava la materia per cercare il segreto dell' uomo," *Bolaffiarte,* vol. IV, n° 29, Turin, avril-mai 1973, p. 56. Voir également, dans ce contexte, les remarques de Giacometti sur la façon de dessiner un verre, telles que les a rapportées Sylvester, Tate Gallery, 1965, dernière page de l'article.

14. "Notes sur les copies." *L'Ephémère* (Paris), N° I, 1966, p. 108.

15. Clay, *Réalités,* (Paris) N° 215, décembre 1963.

16. *Le Rêve, le sphinx et la mort de T.*

17. Lettre non publiée datant de mars 1915. Archives Cuno Amiet, Mme Lydia Thalmann-Amiet, Oschwand (Suisse).

18. Voir la note I.

19. On remarque déjà cette qualité dans le *Torse* post-cubiste; on ne

trouverait pas chez Laurens ni Lipchitz la rainure pour marquer la colonne vertébrale, ce qui est cependant courant dans l'art primitif. Giacometti l'a reproduite en 1934 sur le dos de la pierre tombale presque abstraite de son père, dans le cimetière de S. Giorgo di Borgonovo.

20. Dans la série de dessins *Objets mobiles et muets* de 1931, Giacometti a de fait transformé certains personnages du *Carnaval d'Arlequin* de Miró de 1924-1925, collection de la Galerie d'art Albright-Knox, Buffalo (New York), en des projets pour sculptures en fil de fer, qui ressemblent à des compositions de Calder façonnées en fil de fer, datant de 1930 environ. L'artiste avait l'intention de les placer tout simplement sur une plate-forme à pieds.

21. Pour approfondir la question des bases en sculpture moderne, consulter les documents suivants: Albert Elsen, "Pioneers and Premises of Modern Sculpture," *Pioneers of Modern Sculpture,* Londres, Conseil des arts, Galerie Hayward, 20 juillet-23 septembre 1973, catalogue de l'exposition; Jack Burnham, *Beyond Modern Sculpture,* New York, Braziller, 1968, 3e édition 1973.

22. On peut faire une comparaison intéressante avec la composition en fil de fer de Calder, *Mobile motorisé* de 1929, Collection du musée Hirshhorn et du jardin des sculptures, Smithsonian Institution, Washington (D.C.). Alors que l'oeuvre de Calder fait penser à un dessin dans l'espace, les *Trois personnages dehors* de Giacometti présente les qualités émotives et sculpturales des ornements ayant

la forme d'une grille que les danseurs de la tribu Senufo de la Côte d'Ivoire arrangent sur leurs cheveux. La *Boule suspendue* de 1930 prolonge le *mobile motorisé* de Calder dans l'espace tridimensionnel d'une cage; la forme de la boule ainsi que le croissant ont été inspirés du dessin de Picasso de 1928, *Projet pour un monument,* collection privée.

23. *Pointe à l'oeil* de 1932, (fig. 7) consiste en un cône dont l'extrémité pointe en direction d'un crâne modelé reposant sur la même plate-forme. Il préfigure aussi *Le nez* de 1947 (cat. n° 51), qui, lorsqu'on le regarde de face, menace l'oeil du visiteur. L'évolution sculpturale montre le passage de la disposition des objets, typiquement surréaliste, à une véritable confrontation existentielle.

24. André Breton, *Documents 34,* juin 1934.

25. Série de modèles au musée Val de Grâce, Paris.

26. *Circle, International Survey of Constructive Art,* Ed. J. L. Martin, B. Nicholson, N. Gabo, Londres, 1937. Réimprimé, New York, Prager, 1971, pl. 17, p. 297.

27. A la même époque, le philosophe français Maurice Merleau-Ponty entreprit des études semblables sur la phénoménologie de la perception. Pour mieux connaître le rapport entre la grandeur apparente et le champ de vision, consulter son livre, *Phénoménologie de la perception,* Paris 1945, pp. 294 et suiv., surtout p. 302.

28. Photographies des plâtres dans la partie insérée du catalogue, *Derrière le miroir,* nos 39-40, Paris, juin 1951.

29. En analysant la forme de la *Tête d'homme sur tige,* tout comme celles des sculptures de Giacometti du début des années 30, on doit se référer aux oeuvres océaniennes, notamment les crânes de Nouvelles-Hébrides, recouverts de cire, de craie, de coquillages et de peinture, et aussi à l'art moderne. Cette oeuvre évoque la silhouette expressive dans *Guernica* de Picasso, de 1937, et la tête de taureau sur une tige dans la *Nature morte et tête de taureau rouge* de 1938, également de Picasso (toutes deux faisant partie de la collection du Musée d'art moderne de New York). Dans la deuxième peinture, Picasso s'est inspiré, pour la composition générale et le polyèdre, de *La table surréaliste* de Giacometti de 1933. Nous pensons qu'en étudiant ainsi l'origine de la forme, on découvre la signification de la *Tête d'homme sur tige.*

30. Carola Giedion-Welcker, "Alberto Giacometti's Vision der Realität," *Werk,* Winterthur, 1959, pp. 205 et suivantes.

31. Sylvester, *The Sunday Times Magazine,* juillet 1965.

32. Giacometti a constamment utilisé les expressions "double de la réalité" et "non pas la similitude, mais la ressemblance" au cours des dernières années de sa vie. Voir, par exemple, sa conversation avec M. Jean-Luc Duval, "Fou de Réalité: Alberto Giacometti," *Journal de Genève,* 8 juin 1963.

33. Entrevue radiophonique avec M. Georges Charbonnier, Paris, R.T.F., 3 mars 1951; réimprimée dans Charbonnier, *Le monologue du peintre,* Paris, Juillard, 1959, pp. 159-170. Renseignement rapporté également dans beaucoup

d'autres conversations, dont la dernière avec M. Jacques Dupin dans le film *Alberto Giacometti* de Scheidegger et Münger, 1966.

34. Luigi Carluccio, Alberto Giacometti, a Sketchbook of Interpretative Drawings, 1968, p. 141, pl. 52.

35. De telles interprétations (par M. Jacques Dupin et Mme Palma Buccarelli) ont été réfutées par M. Hilton Kramer, *Arts Magazine*, novembre 1963.

36. Conversations avec des journalistes italiens, citées par Mario de Micheli, "E morto lo scultore Alberto Giacometti," *L'Unità*, Rome, 13 janvier 1966. Egalement, une conversation qui a eu lieu plus tard avec M. Lake, *The Atlantic*, septembre 1965, pp. 121-122.

37. Conversation avec Mme Grazia Livi, "Interroghiamo gli artisti del nostro tempo: Che cosa pensano del mondo d'oggi? Giacometti," *Epoca*, n° 643, Milan, 20 janvier 1963, pp. 58-61.

38. Voir le catalogue de 1948 de la Galerie Pierre Matisse, p. 28 (le dessin de la *Funambule*) et p. 40 (reproduction du plâtre *Nuit*, aujourd'hui détruit).

39. *Femme dans une barque*, 1950. Bronze, collection privée, Paris. Paris, Orangerie des Tuileries, Alberto Giacometti, 1969-1970, n° 72 du catalogue d'exposition, reproduction p. 71 (1950-1952).

40. Photographie reproduite par Man Ray, *Cahiers d'Art*, Paris, 1932, p. 341, dont le titre est *Chute d'un corps sur un graphique*; dessin de Giacometti dans sa lettre de 1947 qu'il adressa à Pierre Matisse, intitulée *Espèce de paysage—tête couchée*.

41. Giacometti avait utilisé, pour la pierre tombale de son père en 1934, la métaphore chrétienne reflétant l'espoir d'une vie éternelle, qu'il avait sculptée délicatement en relief: un oiseau sur une branche à côté d'un calice, au-dessus du calice, le soleil, au-dessus de l'oiseau, une étoile.

42. Lord, A *Giacometti Portrait*, 1965, p. 49.

43. Photographie du *Cube* avec la base originale, *Minotaure*, n° 5, Paris, 1934, p. 42 (le titre est *Pavillon nocturnal*); réimprimée dans *Circle*, Londres, 1947; réimprimée, New York, Praeger, 1971, p. 94, pl. 18. Cete photographie ainsi que le dessin de Giacometti de 1947 ne montrent pas l'autoportrait gravé que, pour des raisons physionomiques et stylistiques, on peut situer en 1936-1938.

44. Erwin Panofsky, *Albrecht Dürer*, Princeton University Press, 1948, vol. I, pp. 156-171.

45. N° 170 du catalogue Bloch.

46. N° 178 du catalogue Bloch.

47. Comparer un des pieds de devant avec le thème de Brancusi, *La colonne sans fin*; comparer le buste de femme avec l'aquarelle de Léger, *Femme et table*, de 1920, collection privée, Allemagne, et la femme, ainsi que le mortier et le pilon avec les *Trois femmes* de Léger, 1921, collection du Musée d'art Moderne de New York. Le buste et le pied de la table, qui fait penser à une natte, évoquent également les sculptures de Laurens. Cependant, l'artiste s'est surtout inspiré de la peinture de Magritte, *Le passage difficile*, de 1926, collection privée, Bruxelles, pour créer un contraste entre les pieds et la main humaine.

48. Voir la reproduction dans Dupin, *Alberto Giacometti*, 1962, pp. 214-215.

49. Plâtre, musée Rodin, Paris.

50. Reproduit dans *Le surréalisme au service de la révolution*, décembre 1931, pp. 18-19; la photographie de Brassaï est reproduite dans *Minotaure*, nos 3-4, Paris, 1933, p. 47 et suivantes.

51. Selon la lettre de Giacometti adressée à Pierre Matisse en 1947.

52. Tanguy a utilisé des éléments analogues dans sa peinture *Genèse* de 1926, collection Claude Hersent, Meudon, voir Kay Sage Tanguy, *Yves Tanguy. A Summary of His Works*, New York, Pierre Matisse, 1963, pl. 26.

53. Les photographies de l'ami de Giacometti, Charles Ducloz, sont rangées dans les archives de Mme Carola Giedion-Welcker, Zurich; on trouve dans le livre de cet auteur, *Contemporary Sculpture: An Evolution in Volume and Space*, New York, Wittenborn, 1955, p. 94, nouvelle édition 1960, p. 104, une reproduction de la grande *Femme debout* de 1948, placée, à la demande de Giacometti, sur le trottoir de la rue Hippolyte Maindron.

54. Renseignement communiqué par le Dr. Carlo Huber, Bâle.

55. La comparaison forcée qu'on tire de cette proposition avec la sculpture de Giacometti et des *Bourgeois de Calais* de Rodin de 1886 entraîne nécessairement une conclusion différente de celle de M. Albert Elsen dans son livre, *Rodin*, New York, Musée d'art moderne, 1963, pp. 86-87. Si elle avait été exécutée grandeur nature, comme un monument sans base, destiné à

une place publique, *La place* de Giacometti ferait beaucoup penser aux *Bourgeois de Calais,* au sujet desquels un des projets initiaux de Rodin (d'après ce qu'il a confié à Paul Gsell) était "de placer ses statues l'une derrière l'autre sur le pavé de la place, devant l'hôtel de ville de Calais . . . (afin que) les habitants de Calais, en les touchant presque du coude, sentent plus profondément la tradition de solidarité qui les unit à ces héros." (Rodin) Il est fort probable que Giacometti connaissait beaucoup mieux les oeuvres de Rodin qu'on puisse jamais le prouver. La différence essentielle entre les oeuvres de ces deux artistes porte sur la dimension iconographique: les oeuvres de Rodin sont le plus souvent historiques et littéraires, celles de Giacometti, philosophiques et mythiques.

56. Conversation avec M. Jean-Raoul Moulin, citée dans J.-R. Moulin, Giacometti: "Je travaille pour mieux voir," *Les lettres françaises,* n° 1115, Paris, 20 janvier 1966, p. 17. (version originale)

57. Conversation avec M. Pierre Schneider, citée dans P. Schneider, "Ma longue marche" par Alberto Giacometti," *L'Express,* n° 521, Paris, 8 juin 1961, pp. 48-50.

58. Voir la note 56.

59. Voir la note 2.

60. Sigfried Giedion, "Alberto Giacometti," *Neue Zürcher Zeitung,* 16 janvier 1966.

61. La tête colossale d'une énorme statue en bronze de l'empereur Constantin revêtait une signification politique et culturelle importante pour la ville (depuis 1594 au musée des Conservateurs du Capitole, c'est là que Giacometti l'a vue au cours d'un voyage à Rome en 1960, ou peu avant). Cette tête, placée sur un socle en marbre, est restée pendant des siècles sur l'emplacement qui est devenu par la suite la Piazza del Campidoglio, parmi d'autres fragments sculpturaux; les gens y passaient constamment. Que Giacometti ait connu cet emplacement importe peu; c'est le parallèle frappant de la situation urbaine que l'artiste voulait créer à la Place Chase Manhattan qui est intéressant.

62. Communication orale M. Bruno Giacometti, Zurich.

63. Collection du Dr. Paolo Cadorin, Bâle.

64. En voici des exemples: *Paysanne de Bregaglia,* 1928, collection privée, Lugano, *Paysage près de Stampa,* 1931, collection Josef Müller, Soleure; reproduction en couleur sur la couverture de *Der Schweizerische Beobachter,* n° 4, Bâle, 1970.

65. Par exemple: *Portrait de Renato Stampa,* 1932, collection du pr R. Stampa, Coire.

66. Lorsque Giacometti appliqua la technique surréaliste de transformer la peinture traditionnelle en expressions surréalistes et dadaïstes (comme les interprétations de Böcklin par Chirico, la *Mona Lisa* vue par Duchamp, l'*Intérieur hollandais* de Miró et l'interprétation "paranoïaque" des paysages de cartes postales de Dali), il le fit surtout en tant que sculpteur plutôt qu'en tant que peintre. Il fit du *Passage de la vierge à la mariée* de Duchamp un modèle de plâtre à sa façon, *Projet pour un couloir,* 1930-1931, collection de la fondation Alberto Giacometti, et de l'*Ile des morts* de Böcklin la construction scénique *Palais à quatre heures du matin* 1932, collection du Musée d'art moderne de New York, ou encore du *Passage difficile* de Magritte *La table surréaliste* de 1933 (n° 31 du catalogue).

67. Collection privée, Suisse. Le modèle qui a servi pour cette peinture à l'huile semble avoir été Mme Rita Gueffier, ce qui permet de situer l'oeuvre en 1935 ou en 1936. Les éléments comme la frontalité, la lumière qui arrive perpendiculairement, les murs de l'intérieur et les portes ouvertes parallèles au plan du tableau, ainsi que le traitement ambigu des contours, évoquent les dernières oeuvres de Ferdinand Hodler.

68. C'est grâce à une conversation avec M. Jonathan Silver de New York qui, dans un essai "Frontality and Cubism in Giacometti's Painting 1947-1951" (essai suggéré par M. Meyer Schapiro, Université Columbia, New York), présente les peintures de Giacometti comme une adaptation plutôt que comme une solution de remplacement au cubisme, que je me suis penché sur la question du cubisme et de la frontalité dans la peinture de portraits chez Giacometti. Voir: Jonathan Silver, "Giacometti, frontality and Cubism," *Art News,* New York, vol. 73, no. 6, été 1974, pp. 40-42.

69. Les maniéristes du XVIe siècle, en utilisant cette approche, avaient créé d'étranges distorsions et une profondeur dramatique. *Le garçon au gilet rouge* de Cézanne (dont le bras, qui semble trop long, s'étend du plan médian au premier plan) est peut-être l'exemple moderne le

plus connu de cette technique de représentation, que Giacometti a souvent cité; voir, par exemple, Carlton Lake, "The Wisdom of Giacometti," *The Atlantic*, Boston, septembre 1965, p. 123.

70. Musée d'art et d'histoire, Genève.

71. Yanaihara, *Derrière le miroir*, 1961; dans Lord, *A Giacometti Portrait*, 1965, on trouve reproduites douze des seize étapes du *Portrait de James Lord*, de 1964, et dans Dupin, Alberto Giacometti, 1962, quatre étapes de la *Tête de Diego*, 1957.

72. Par exemple, *Madame Cézanne à la serre*, Venturi, n° 569, ou *Madame Cézanne en robe rouge*, Venturi, n° 570, toutes deux de 1890, les deux au Metropolitan Museum of Art, New York.

73. Les conversations de Giacometti abondaient en remarques sur Cézanne. On peut avancer l'idée que Giacometti, le peintre, était motivé par l'art de Cézanne. Voir surtout l'entrevue radiophonique de M. Georges Charbonnier, Paris, R.T.F., le 16 avril 1957, publiée sous le titre "[Deuxième] Entretien avec Alberto Giacometti," G. Charbonnier, *Le monologue du peintre*, Paris, Juillard, 1959, pp. 171-183.

74. Sylvester, Galerie Tate, 1965. Comme l'a dit Giacometti à M. Sylvester, l'incident se produisit alors qu'il avait dix-huit ou dix-neuf ans. Cette date a été reprise dans la partie "Dates et témoignages" faisant partie de ma monographie sur Giacometti, Lausanne, 1971, p. 230. Cependant, étant donné qu'aucun des nombreux dessins d'avant 1925 qu'on a pu retrouver ne présente cette caractéristique phénoménologique, nous en parlons ici en traitant d'une période ultérieure. Une des peintures de Giovani Giacometti de 1931 montre Alberto dans le salon en train de dessiner une assiette de fruits (Succession Giacometti, Zurich; n° 241 du catalogue Köhler).

75. Communication orale de M. Michael Brenson après son entretien avec M. Stanley W. Hayter. M. Herbert Lust, dans *Giacometti: The Complete Graphics and 15 Drawings*, mentionne *Tête Cubiste* (L. 56, pl. 92) et *Mains tenant le vide* (L. 57, pl. 93).

76. Lust, ibid, L. 76-79, pl. 112.

77. Lust, ibid., L. 80 (n° 7 au lieu du n° 8 de l'album), pl. 113.

78. Lust, ibid., L. 81-83, pl. 114; L. 85-91, pl. 115 (date de publication: 1950; M. Edwin Engelberts indique la date de l'oeuvre, 1947, dans son catalogue *Alberto Giacometti, Dessins, Estampes, Livres illustrés*, Genève, 1967, p. 51, nos 26-29).

79. Commentaire sur le *Palais à quatre heures du matin;* voir la note 11.

Works in the Exhibition

Sculpture

1

Torso (Torse). 1925

Bronze, 22¼ x 10⅝ x 7½″
(56.5 x 24.5 x 23 cm.)

Collection The Alberto Giacometti
Foundation, Relinquished from
Kunsthaus Zurich

Cast no. 5/6

Inscribed: base back "5/6 Alberto
Giacometti 1925"

*Little Crouching Man
(Petit homme accroupi).* 1926

Bronze, 11¼ x 6⅞ x 4″
(28.5 x 17.5 x 10 cm.)

Collection The Alberto Giacometti
Foundation, Gift of the artist

Inscribed: base left side "A. Giacometti; base front "1926"; base back
right "M Pastori Cire perdue"

3

Spoon Woman (Femme-cuiller). 1926

Bronze, 57⅛ x 20½ x 9⅞″
(145 x 52 x 25 cm.)

Collection The Alberto Giacometti
Foundation

Cast no. 1/6

Inscribed: base right "A. Giacometti
1/6"; middle plate back "Alberto
Giacometti 1/6"; base left "Susse
Fondeur Paris"

4

Couple (Man and Woman)
(Le Couple (Homme et femme)). 1926

Bronze, 23⅝ x 14½ x 7⅛″
(60 x 37 x 18 cm.)

Collection The Alberto Giacometti
Foundation

Cast no. 1/6

Inscribed: plinth back right "A. Giacometti 1/6"; plinth back left "Susse
Fondeur Paris"

5

Personages (Personnages). 1926-27

Bronze, 10¼ x 7⅞ x 5⅞″
(26 x 20 x 15 cm.)

Collection The Alberto Giacometti
Foundation

Inscribed: base front left "C Valsuani
Cire perdue"

6

Portrait of the Artist's Mother (Portrait de la mère de l'artiste). 1927

Bronze, 12¾ x 9 x 4½"
(32.5 x 23 x 11 cm.)

Collection The Alberto Giacometti Foundation

Inscribed: base front "1927"; base back "Alberto Giacometti"; base left side "M Pastori Cire perdue"

7

Portrait of the Artist's Father (Portrait du père de l'artiste). 1927

Bronze, 11⅛ x 8¼ x 9"
(28.5 x 21 x 23 cm.)

Collection The Alberto Giacometti Foundation, Gift of the artist

Cast no. 1/6

Inscribed: back left "M Pastori Cire perdue"

8

Portrait of the Artist's Father (Portrait du père de l'artiste, plat et gravé). 1927

Bronze, 10⅞ x 8½ x 5⅜″
(27.5 x 21.5 x 13.5 cm.)

Collection The Alberto Giacometti
Foundation

Inscribed: bottom left "M Pastori Cire
perdue"

10

Observing Head (Tête qui regarde).
1927-29

Marble, 16⅛ x 14½ x 3⅛″
(41 x 37 x 8 cm.)

Collection The Alberto Giacometti
Foundation

Executed in marble by Diego
Giacometti

Inscribed: plinth back left "Alberto
Giacometti"

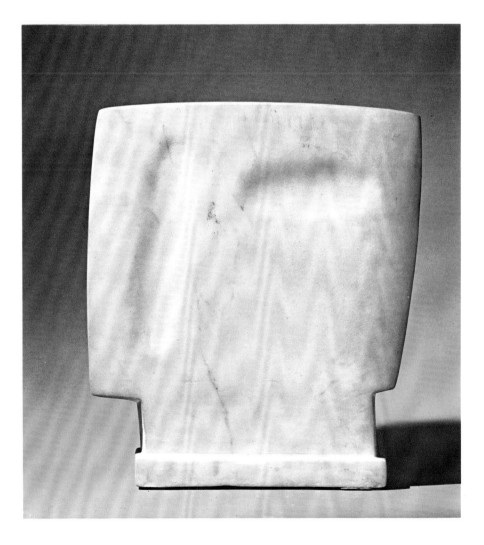

9

Observing Head (Tête qui regarde).
1927-28

Bronze, 15½ x 14 x 2½″
(39.5 x 35.5 x 6.5 cm.)

Collection The Alberto Giacometti
Foundation

Cast no. 3/6

Inscribed: plinth front left "Alberto
Giacometti 3/6"; plinth back left
"Susse fondeur Paris"

11

Woman (Femme). 1928

Marble, 13¼ x 12¼ x 3½″
(33.5 x 31 x 9 cm.)

Collection The Alberto Giacometti
Foundation

Executed in marble by Diego
Giacometti

Inscribed: base back left "A.
Giacometti"

12

Woman (Femme). 1928

Bronze, 18⅞ x 15 x 3⅜″
(48 x 38 x 8.5 cm.)

Collection The Alberto Giacometti
Foundation

Cast no. 2/6

Inscribed: base back left "Alberto
Giacometti 2/6"; base back "Susse
Fondeur Paris"

13

Reclining Woman (Femme couchée).
1929

Bronze, 10⅝ x 17¼ x 6¼″
(27 x 44 x 16 cm.)

Collection The Alberto Giacometti
Foundation

Cast no. 1/6

Inscribed: base back right "Alberto
Giacometti 1929 1/6"

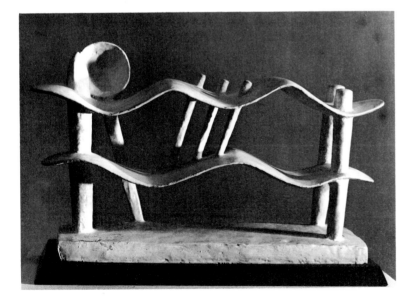

14

*Reclining Woman who Dreams
(Femme couchée qui rêve).* 1929

Painted bronze, 9½ x 17 x 5½″
(24.5 x 43 x 14 cm.)

Collection The Alberto Giacometti
Foundation

Cast no. 0/6

Inscribed: base back left "Alberto
Giacometti 0/6"

15

Man (Homme). 1929

Bronze, 15¾ x 12 x 3⅜″
(40 x 30.5 x 8.5 cm.)

Collection The Alberto Giacometti
Foundation

Cast no. 2/6

Inscribed: lowest transverse beam back
"2/6 Alberto Giacometti 1929"

16

Suspended Ball (Boule suspendue).
1930-31

Plaster with metal, 24 x 14⅛ x 13¼"
(61 x 36 x 33.5 cm.)

Collection The Alberto Giacometti
Foundation

Inscribed: plate edge left side "Plâtre
original Alberto Giacometti"; plate
right side "Alberto Giacometti"

17

Woman with her Throat Cut (Femme égorgée). 1932

Bronze, 7⅞ x 29½ x 22⅞″
(20 x 75 x 58 cm.)

Collection The Alberto Giacometti
Foundation

Cast no. 3/5

Inscribed: under shovel left "A.
Giacometti 1932 3/5"; "Alexis Rudier
Fondeur Paris"

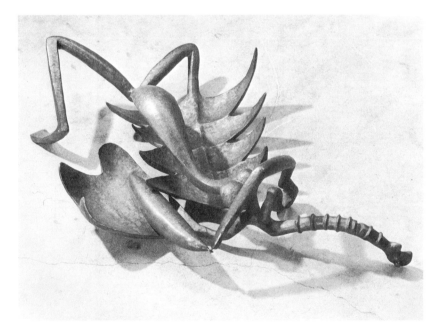

18

Flower in Danger (Fleur en danger).
1933.

Wood, plaster, metal, 21⅞ x 30¾ x
7⅛" (55.5 x 78.5 x 18 cm.)

Collection The Alberto Giacometti
Foundation

Inscribed: base front right in pencil
"Alberto Giacometti"

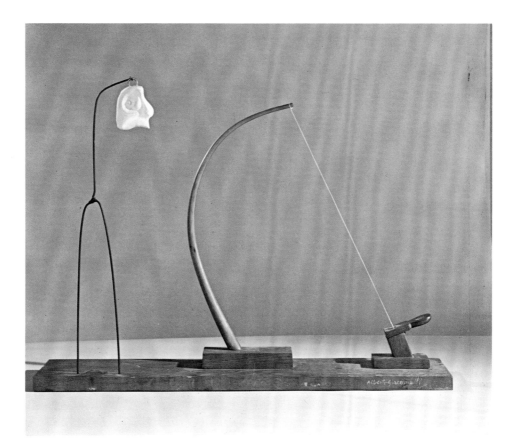

19

Cube (Le Cube). 1934

Bronze, 37 x 23⅝ x 23⅝"
(94 x 60 x 60 cm.)

Collection The Alberto Giacometti
Foundation

Cast no. 1/2

Inscribed: front left "Alberto
Giacometti 1/2"; back "Susse Fondeur
Paris"

20

Cubist Head (Tête cubiste). 1934

Plaster, 7⅛ x 8¼ x 7½″
(18 x 21 x 19 cm.)

Collection The Alberto Giacometti
Foundation

Inscribed: bottom right "Alberto
Giacometti"

21

Hand (La Main). 1947
Bronze, 22½ x 28⅜ x 1¼"
(57 x 72 x 3.5 cm.)
Collection The Alberto Giacometti
Foundation
Cast no. 5/6
Inscribed: shoulder "AG 5/6"

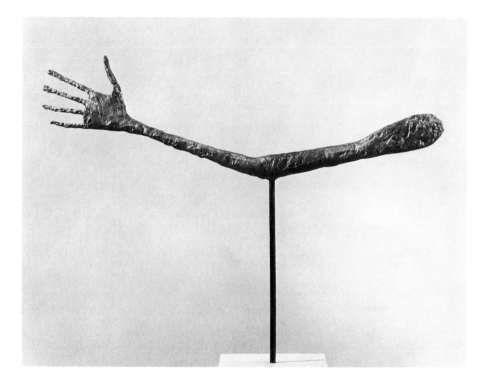

22

Walking Man (Homme qui marche).
1947
Bronze, 67⅜ x 9¼ x 20⅞″
(171 x 23.5 x 33 cm.)
Collection The Alberto Giacometti
Foundation
Cast no. 1/6
Inscribed: base back "A. Giacometti
1/6 1947; base back bottom "Alexis
Rudier Fondeur Paris"

23

Large Figure (Grande figure). 1947
Bronze, 79½ x 8⅝ x 16⅜″
(202 x 22 x 41.5 cm.)
Collection The Alberto Giacometti
Foundation, Relinquished from
Kunsthaus Zurich
Cast no. 1/6
Inscribed: base left side "Alberto
Giacometti 1/6"; base back "Susse
Fondeur Paris"

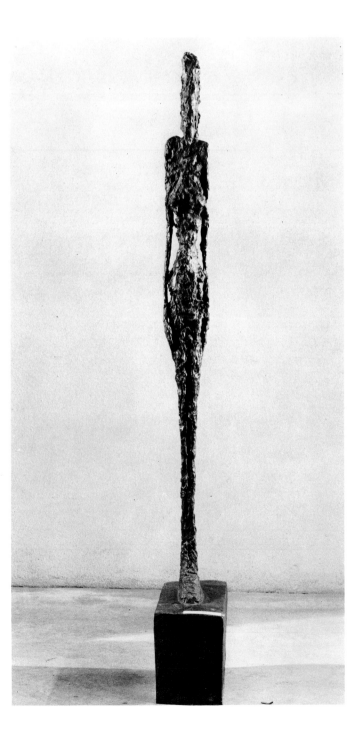

24

*Man Walking Quickly under the Rain
(Homme qui marche sous la pluie).*
1948

Bronze, 17¾ x 30⅜ x 5⅞″
(45 x 77 x 15 cm.)

Collection The Alberto Giacometti
Foundation

Cast no. 4/6

Inscribed: plinth right side "4/6 A.
Giacometti"; base lower left side
"Alexis Rudier Fondeur Paris"

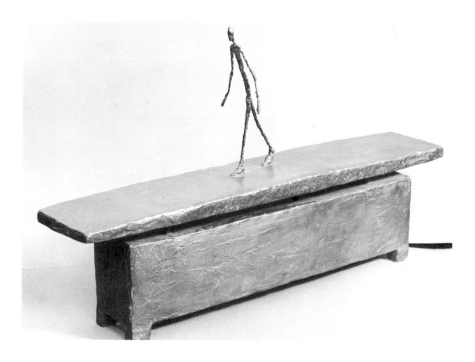

25

Standing Woman (Femme debout).
1948

Bronze, 71⅝ x 8⅝ x 14¼″
(182 x 23 x 36 cm.)

Collection The Alberto Giacometti
Foundation

Cast no. 1/5

Inscribed: base right side "A. Giacometti 1/5"; base back left "Alexis
Rudier Fondeur Paris"

26

Standing Woman (Femme debout).
1948

Bronze, 66 x 6¼ x 13⅜″
(167.5 x 16 x 34 cm.)

Collection The Alberto Giacometti
Foundation

Cast no. 1/6

Inscribed: plinth side right "A.
Giacometti 1/6"; plinth back right
"Alexis Rudier Fondeur Paris"

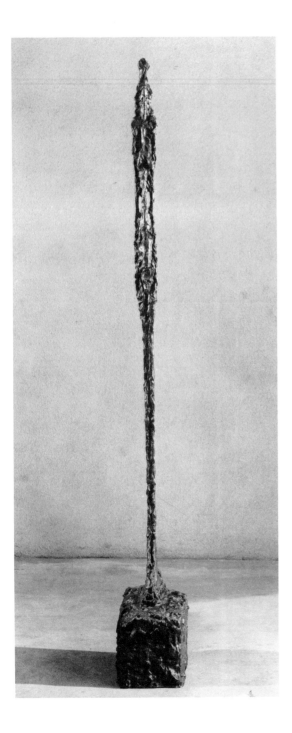

27

Man Crossing a Square (Homme traversant une place). 1949

Bronze, 26¾ x 31½ x 20½″
(68 x 80 x 52 cm.)

Collection The Alberto Giacometti Foundation

Cast no. 1/5

Inscribed: base right "A Giacometti 1/5"; base right side "Alexis Rudier Fondeur Paris"

28

Figure between Two Houses (Figurine entre deux boîtes qui sont des maisons).
1950

Bronze, 11⅞ x 21 x 3¾″
(30 x 54 x 9.5 cm.)

Collection The Alberto Giacometti Foundation

Cast no. 1/6

Inscribed: right (narrow) side "A. Giacometti 1/6"; back left "Susse Fondeur Paris"

29

Chariot (Le Chariot). 1950

Bronze, 65¾ x 24⅜ x 27½″
(167 x 62 x 70 cm.)

Collection The Alberto Giacometti
Foundation

Cast no. 3/6

Inscribed: plate right side "3/6
A. Giacometti"

30

Four Women on a Base (Quatre femmes sur socle). 1950

Bronze, 30 x 16⅛ x 6¾″
(76 x 41.5 x 17 cm.)

Collection The Alberto Giacometti Foundation

Cast no. 1/6

Inscribed: base top right side "1/6 A. Giacometti"; base back left "Alexis Rudier Fondeur Paris"

31

Four Figurines on a Base (Quatre figurines sur base). 1950

Bronze, 63⅞ x 16½ x 12⅝″
(162 x 42 x 32 cm.)

Collection The Alberto Giacometti Foundation

Cast no. 1/6

Inscribed: plate edge right side "1/6 A. Giacometti"; plate edge back "Alexis Rudier Fondeur Paris"

33

Glade (La Clairière). 1950

Bronze, 23¼ x 25¾ x 20½″
(59.5 x 65.5 x 52 cm.)

Collection The Alberto Giacometti
Foundation

Cast no. 2/6

Inscribed: plate edge right side "A.
Giacometti 2/6"; plate edge back
"Alexis Rudier Fondeur Paris"

32

Square (Composition with Three Figures and a Head) (Place (Composition avec trois figures et une tête)).
1950

Bronze, 22¼ x 22¼ x 16½"
(56 x 56 x 42 cm.)

Collection The Alberto Giacometti
Foundation

Cast no. 2/6

Inscribed: plate edge right side "A.
Giacometti 2/6"; plate edge back left
"Alexis Rudier Fondeur Paris"

34

Cat (Le Chat). 1951

Bronze, 11½ x 31¾ x 5⅜″
(29 x 80.5 x 13.5 cm.)

Collection The Alberto Giacometti
Foundation

Cast no. 5/8

Inscribed: base front right "Alberto
Giacometti 5/8"; right side "Susse
Fondeur Paris"

35

Dog (Le Chien). 1951

Bronze, 17¾ x 38⅝ x 5⅞″
(45 x 98 x 15 cm.)

Collection The Alberto Giacometti
Foundation

Cast no. 1/8

Inscribed: base underneath head
"Alberto Giacometti 1/8"

36

Standing Nude III (Nu debout III).
1953

Bronze, 21½ x 4¾ x 6¼″
(54.5 x 12 x 16.5 cm.)

Collection The Alberto Giacometti
Foundation

Cast no. 1/6

Inscribed: base right side "1/6 1953
Alberto Giacometti"

37

*Nude (Figure on a Cube) (Nu (Figurine
sur cube)).* 1953

Bronze, 22⅞ x 5⅞ x 5½″
(57.5 x 15 x 14 cm.)

Collection The Alberto Giacometti
Foundation

Cast no. 6/6

Inscribed: base right side "Alberto
Giacometti 6/6"; base back "Susse
Fondeur Paris"

38

Diego in a Jacket (Diego au blouson).
1953

Bronze, 14 x 11 x 4⅛″
(35.5 x 28 x 10.5 cm.)

Collection The Alberto Giacometti
Foundation

Cast no. 3/6

Inscribed: back left "1953 3/6 Alberto
Giacometti"; back right "Susse
Fondeur Paris"

39

Diego in a Sweater (Diego au chandail).
1954

Bronze, 19¼ x 10⅝ x 8¼″
(49 x 27 x 21 cm.)

Collection The Alberto Giacometti
Foundation

Cast no. 1/6

Inscribed: base right side "1/6 Alberto
Giacometti"; bottom base back "Susse
Fondeur Paris"

40

Large Head of Diego (Grande tête de Diego). 1954

Bronze, 25⅝ x 15⅜ x 8⅝
(65 x 39 x 22 cm.)

Collection The Alberto Giacometti
Foundation

Cast no. 4/6

Inscribed: shoulder back right "Alberto
Giacometti 4/6"; shoulder back left
"Susse Fondeur Paris"

41

Study after Nature (Etude d'après nature). 1954

Bronze, 22¼ x 5⅛ x 7½″
(56.5 x 13 x 18.5 cm.)

Collection The Alberto Giacometti Foundation

Cast no. 1/6

Inscribed: base left "1954 Alberto Giacometti 1/6"

42

Nude after Nature (Annette) (Nu d'après nature (Annette)). 1954

Bronze, 20⅞ x 5⅞ x 7⅞″
(53 x 15 x 20 cm.)

Collection The Alberto Giacometti Foundation

Cast no. 3/6

Inscribed: base left side "Alberto Giacometti 3/6"; base back "Susse Fondeur Paris"

43

Head of Diego (Tête de Diego). 1955

Bronze, 22¼ x 8½ x 5⅞″
(56.5 x 21.5 x 15 cm.)

Collection The Alberto Giacometti
Foundation

Cast no. 1/6

Inscribed: back left "1/6 Giacometti";
back right "Susse Fondeur Paris"

44

*Woman of Venice VIII (Femme de
Venise VIII).* 1956

Bronze, 48″ h. (h. 122 cm.)

Collection The Alberto Giacometti
Foundation

Cast no. 2/6

Inscribed: base left side "Alberto
Giacometti 2/6"; base back right
"Susse Fondeur Paris"

45

*Head of a Man on a Rod (Tête
d'homme sur tige).* 1956-58

Bronze, 16⅜ x 4⅛ x 5⅛"
(41.5 x 10.5 x 13 cm.)

Collection The Alberto Giacometti
Foundation

Cast no. 1/1

Inscribed: base left side bottom "A.
Giacometti 1/1"

46

Head of a Man on a Rod (Tête d'homme sur tige). 1957

Plaster, 12 x 4 x 4⅜″ (31 x 10 x 11 cm.)

Collection The Alberto Giacometti Foundation

Cast no. 1/1

Inscribed: base left side "A. Giacometti 1/1"

47

Head of a Man on a Rod (Tête d'homme sur tige). 1957

Bronze, 12¼ x 3½ x 4⅜″ (30.5 x 9 x 11 cm.)

Collection The Alberto Giacometti Foundation

Cast no. 1/1

Inscribed: base left side "A. Giacometti 1/1"

Paintings

48

Self Portrait (Autoportrait). 1921

Oil on canvas, 32½ x 28⅜″
(82.5 x 72 cm.)

Collection The Alberto Giacometti
Foundation

Inscribed: lr "Alberto Giacometti"

49

Portrait of the Artist's Father (Portrait du père de l'artiste). 1930-32

Oil on canvas, 25¼ x 23⅛″
(64 x 60 cm.)

Collection Kunsthaus Zurich

Not inscribed

50

Three Plaster Heads (Trois têtes de plâtre). 1947

Oil on canvas, 28¾ x 23⅜″
(73 x 59.5 cm.)

Collection The Alberto Giacometti
Foundation

Inscribed: lr "Alberto Giacometti
1947"

51

Annette (Annette). 1951

Oil on canvas, 31⅞ x 25½"
(81 x 65 cm.)

Collection The Alberto Giacometti
Foundation

Inscribed: ll "Alberto Giacometti
1951"

52

Portrait of Peter Watson (Portrait de Peter Watson). 1954

Oil on canvas, 28⅜ x 23⅝″
(72 x 60 cm.)

Collection The Alberto Giacometti
Foundation

Inscribed: lr "Alberto Giacometti
1954"

53

Portrait of G. David Thompson (Portrait de G. David Thompson). 1957

Oil on canvas, 39⅜ x 29⅛″
(100 x 74 cm.)

Collection The Alberto Giacometti Foundation

Inscribed: lr "Alberto Giacometti 1957"

54

Portrait of Isaku Yanaihara (Portrait d'Isaku Yanaihara). 1957

Oil on canvas, 31⅞ x 25¾″
(81 x 65.5 cm.)

Collection The Alberto Giacometti
Foundation

Inscribed: lr "Alberto Giacometti
1957"

55

Head of a Man I (Diego) (Tête d'homme I (Diego)). 1964

Oil on canvas, 17⅞ x 13¾"
(45.5 x 35 cm.)

Collection The Alberto Giacometti Foundation

Not inscribed

56

Head of a Man II (Diego) (Tête d'homme II (Diego)). 1964

Oil on canvas, 17⅞ x 14¾"
(45.5 x 37.5 cm.)

Collection The Alberto Giacometti Foundation

Not inscribed

57

Portrait of Maurice Lefèbvre-Foinet
(Portrait de Maurice Lefèbvre-Foinet).
1964

Oil on canvas, 21⅝ x 18⅛″
(55 x 46 cm.)

Collection The Alberto Giacometti
Foundation

Not inscribed

58

Head of a Man III (Diego) (Tête d'homme III (Diego)). 1964

Oil on canvas, 25½ x 17⅞″
(65 x 45.5 cm.)

Collection The Alberto Giacometti Foundation

Not inscribed

59

Head of a Man IV (Diego) (Tête d'homme IV (Diego)). 1964

Oil on canvas, 19⅝ x 16″
(50 x 40.5 cm.)

Collection The Alberto Giacometti Foundation

Not inscribed

60

Portrait of Annette in a Yellow Blouse
(Portrait d'Annette à la blouse jaune).
1964

Oil on canvas, 19⅝ x 15¾″
(50 x 40 cm.)

Collection The Alberto Giacometti
Foundation

Not inscribed

61

Portrait of Nelda (Portrait de Nelda).
1964

Oil on canvas, 21⅜ x 18⅛″
(54.5 x 46 cm.)

Collection The Alberto Giacometti
Foundation

Not inscribed

62

Portrait of Annette (Portrait d'Annette). 1964

Oil on canvas, 27½ x 19⅝″ (70 x 50 cm.)

Collection The Alberto Giacometti Foundation

Not inscribed

63

*Little Nude (Annette) (Petite nue
(Annette)).* 1964

Oil on canvas, 23⅝ x 19½″
(60 x 49.5 cm.)

Collection The Alberto Giacometti
Foundation

Not inscribed

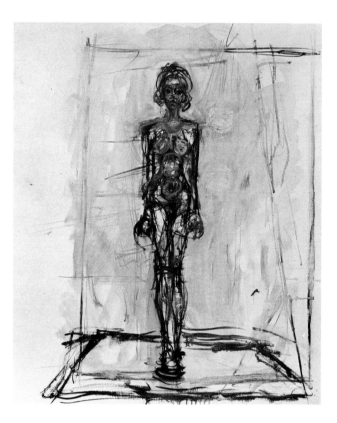

Works on Paper

64

The Artist's Mother (La Mère de l'artiste). 1913-14

Pencil, 14¼ x 9½" (36.5 x 24.5 cm.)

Collection The Alberto Giacometti Foundation

Inscribed: lr "Alberto Giacometti 1913-14"

65

Seated Woman (Femme assise).
1922-23

Pencil, 15¼ x 11″ (38.5 x 28 cm.)

Collection The Alberto Giacometti
Foundation

Inscribed: lr "Alberto Giacometti
1922-23"

66

Standing Nude from the Back (Nue debout, de dos). 1922-23

Pencil, 16⅛ x 10¼″ (41 x 26 cm.)

Collection The Alberto Giacometti
Foundation

Inscribed: lr "Alberto Giacometti
1922-23"

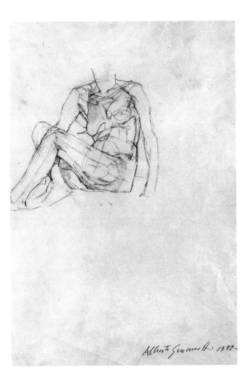

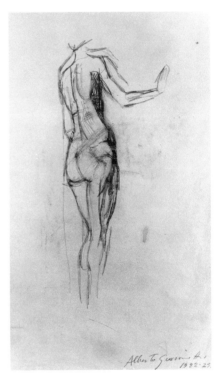

67

Man Standing (Homme debout).
1922-23

Pencil, 14½ x 7″ (37 x 18 cm.)

Collection The Alberto Giacometti
Foundation

Inscribed: lr "Alberto Giacometti
1922-23"

68

*Seated Nude from the Back (Nu
assis, de dos).* 1922-23

Pencil, 19⅛ x 12⅜″ (48.5 x 31.5 cm.)

Collection The Alberto Giacometti
Foundation

Inscribed: lr "1922-23 Alberto
Giacometti"

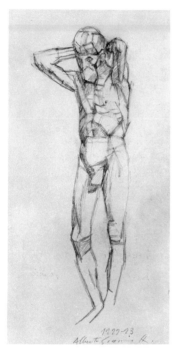

69

Seated Woman from the Back (Femme assise, de dos). 1922-23

Pencil, 18⅜ x 11⅞" (46.5 x 30 cm.)

Collection The Alberto Giacometti Foundation

Inscribed: lc "Alberto Giacometti 1922-23"

71

Self Portrait (Autoportrait). 1923-24

Pencil, 19⅛ x 12¼" (48.5 x 31.5 cm.)

Collection The Alberto Giacometti Foundation

Inscribed: lr "Alberto Giacometti autoportrait 1923-24"

70

Three Nudes (Trois femmes nues). 1923-24

Pencil, 17½ x 11" (44.5 x 28 cm.)

Collection The Alberto Giacometti Foundation

Inscribed: lr "Alberto Giacometti 1923-24"

72
Self Portrait (Autoportrait). 1923-24
Pencil, 10¾ x 9″ (27.5 x 23 cm.)
Collection The Alberto Giacometti
Foundation
Inscribed: lr "Alberto Giacometti
1923-24 autoportrait"

73
Self Portrait (Autoportrait). 1963
Pencil, 19⅞ x 12¾″ (50.5 x 32.5 cm.)
Collection The Alberto Giacometti
Foundation
Not inscribed

74
Hotel Room I (Chambre d'hôtel I).
1963
Pencil, 19⅝ x 13″ (50 x 33 cm.)
Collection The Alberto Giacometti
Foundation
Not inscribed

75
Hotel Room II (Chambre d'hôtel II).
1963
Pencil, 19⅝ x 13″ (50 x 33 cm.)
Collection The Alberto Giacometti
Foundation
Not inscribed

76
Hotel Room III (Chambre d'hôtel III).
1963
Pencil, 19⅝ x 13″ (50 x 33 cm.)
Collection The Alberto Giacometti
Foundation
Not inscribed

77
Hotel Room IV (Chambre d'hôtel IV).
1963
Pencil, 19⅝ x 13″ (50 x 33 cm.)
Collection The Alberto Giacometti
Foundation
Not inscribed

78
Hotel Room V (Chambre d'hôtel V).
1963
Pencil, 19⅝ x 13″ (50 x 33 cm.)
Collection The Alberto Giacometti
Foundation
Not inscribed

Graphics

79

Artist's Mother Seated (Mère de l'artiste assise). 1963

Lithograph, trial proof, 25⅝ x 19⅝″ (65 x 50 cm.)

Collection The Alberto Giacometti Foundation

Inscribed: ll "Epreuve d'essai"; lr "Alberto Giacometti 1963"

Artist's Mother Reading (Mère de l'artiste lisant). 1963

Lithograph, trial proof, 25⅝ x 19⅝″ (65 x 50 cm.)

Collection The Alberto Giacometti Foundation

Inscribed: ll "Epreuve d'essai"; lr "Alberto Giacometti 1963"

Artist's Mother Reading (Mère de l'artiste lisant). 1963

Lithograph, trial proof, 25⅝ x 19⅝″ (65 x 50 cm.)

Collection The Alberto Giacometti Foundation

Inscribed: ll "Epreuve d'essai"; lr "Alberto Giacometti 1963"

82

Artist's Mother Seated I (Mère de l'artiste assise I). 1963

Lithograph, trial proof, 25⅝ x 19⅝″ (65 x 50 cm.)

Collection The Alberto Giacometti Foundation

Inscribed: ll "Epreuve d'essai"; lr "Alberto Giacometti 1963"

83

Artist's Mother at the Window (Stampa) (Mère de l'artiste à la fenêtre (Stampa)). 1963

Lithograph, trial proof, 25⅝ x 19⅝″ (65 x 50 cm.)

Collection The Alberto Giacometti Foundation

Inscribed: ll "Epreuve d'essai"; lr "Alberto Giacometti 1963"

84

Interior at Stampa (Intérieur à Stampa).
1963

Lithograph, trial proof, 25⅝ x 19⅝″
(65 x 50 cm.)

Collection The Alberto Giacometti
Foundation

Inscribed: ll "Epreuve d'essai";
lr "Alberto Giacometti 1963"

85

Hanging Lamp (La Suspension). 1963

Lithograph, trial proof, 25⅝ x 19⅝″
(65 x 50 cm.)

Collection The Alberto Giacometti
Foundation

Inscribed: ll "Epreuve d'essai";
lr "Alberto Giacometti 1963"

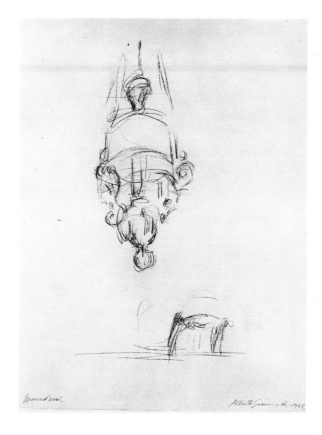

86

Mother Reading (Mère lisant). 1963

Lithograph, trial proof, 25⅝ x 19⅝″
(65 x 50 cm.)

Collection The Alberto Giacometti
Foundation

Inscribed: ll "Epreuve d'essai";
lr "Alberto Giacometti 1963"

87

*Landscape with Trees (Stampa)
(Paysage aux arbres (Stampa)).* 1963

Lithograph, trial proof, 25⅝ x 19⅝″
(65 x 50 cm.)

Collection The Alberto Giacometti
Foundation

Inscribed: ll "Epreuve d'essai";
lr "Alberto Giacometti 1963"

88

Head of a Woman (Tête de femme).
1963

Lithograph, trial proof, 25⅝ x 19⅝″
(65 x 50 cm.)

Collection The Alberto Giacometti
Foundation

Inscribed: ll "Epreuve d'essai";
lr "Alberto Giacometti 1963"

89

Head of a Man (Tête d'homme). 1963

Lithograph, trial proof, 25⅝ x 19⅝″
(65 x 50 cm.)

Collection The Alberto Giacometti
Foundation

Inscribed: ll "Epreuve d'essai";
lr "Alberto Giacometti 1963"

90

Head of a Man (Tête d'homme). 1963

Lithograph, trial proof, 25⅝ x 19⅝"
(65 x 50 cm.)

Collection The Alberto Giacometti
Foundation

Inscribed: ll "Epreuve d'essai";
lr "Alberto Giacometti 1963"

91

Bust of a Man (Buste d'homme). 1963

Lithograph, trial proof, 25⅝ x 19⅝"
(65 x 50 cm.)

Collection The Alberto Giacometti
Foundation

Inscribed: ll "Epreuve d'essai";
lr "Alberto Giacometti 1963"

92

Self Portrait (Autoportrait). 1963

Lithograph, trial proof, 25⅝ x 19⅝″ (65 x 50 cm.)

Collection The Alberto Giacometti Foundation

Inscribed: ll "Epreuve d'essai"; lr "Alberto Giacometti 1963"

93

Head of a Young Man (Tête de jeune homme). 1963

Lithograph, trial proof, 25⅝ x 19⅝″ (65 x 50 cm.)

Collection The Alberto Giacometti Foundation

Inscribed: ll "Epreuve d'essai"; lr "Alberto Giacometti 1963"

94

In the Mirror (Dans le miroir). 1963

Lithograph, trial proof, 25⅝ x 19⅝″ (65 x 50 cm.)

Collection The Alberto Giacometti Foundation

Inscribed: ll "Epreuve d'essai"; lr "Alberto Giacometti 1963"

95
Disturbing Object I (Objet inquiétant I). 1963

Lithograph, trial proof, 25⅝ x 19⅝″ (65 x 50 cm.)

Collection The Alberto Giacometti Foundation

Inscribed: ll "Epreuve d'essai"; lr "Alberto Giacometti 1963"

96
Disturbing Object II (Objet inquiétant II). 1963

Lithograph, trial proof, 25⅝ x 19⅝″ (65 x 50 cm.)

Collection The Alberto Giacometti Foundation

Inscribed: ll "Epreuve d'essai"; lr "Alberto Giacometti 1963"

97

Standing Man and Sun (Homme debout et soleil). 1963

Lithograph, trial proof, 25⅝ x 19⅝″ (65 x 50 cm.)

Collection The Alberto Giacometti Foundation

Inscribed: ll "Epreuve d'essai"; lr "Alberto Giacometti 1963"

Additions to the Exhibition SCULPTURE

98

Statue of a Headless Woman (Femme sans tête). 1932-36

Bronze, 58½″ h. (h. 148.5 cm.)

Collection The Solomon R. Guggenheim Museum, New York

Cast no. 0/6

Inscribed: base "Alberto Giacometti 1932-36"

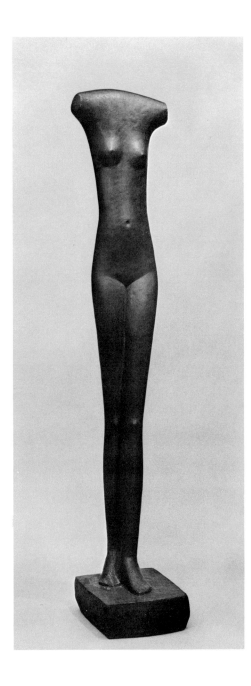

99

Nose (Le Nez). 1947

Bronze, wire, rope, steel, 15 x 3 x 26″
(38 x 7.5 x 66 cm.)

Collection The Solomon R.
Guggenheim Museum, New York

Cast no. 5/6

Inscribed: bottom "Alberto Giacometti
5/6 Susse Fondeur Paris"

100

Diego (Diego). 1953

Oil on canvas, 39½ x 31¾"
(100.5 x 80.5 cm.)

Collection The Solomon R.
Guggenheim Museum, New York

Not inscribed

101

Vase and Cup (Vase et tasse). 1952

Pencil, 19¾ x 13⅞″ (50.2 x 35.3 cm.)

Collection The Solomon R. Guggenheim Museum, New York

Inscribed: lr "Alberto Giacometti 1952"

102

Teapot I (La Théière I). 1954

Pencil, 19¾ x 12⅞″ (50.2 x 32.7 cm.)

Collection The Solomon R. Guggenheim Museum, New York

Inscribed: lr "Alberto Giacometti 1954"

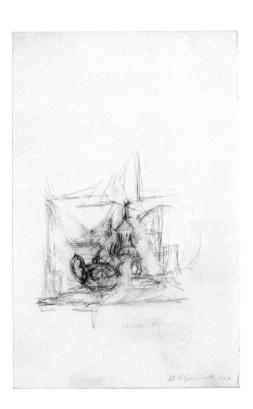

103

Portrait of Douglas Cooper (Portrait de Douglas Cooper). 1957

Pencil, 25¾ x 19¾″ (65.5 x 50 cm.)

Collection The Solomon R. Guggenheim Museum, New York

Inscribed: lr "Alberto Giacometti 1957"

104

Mountain (Le Montagne). 1957

Pencil, 19¾ x 25¾″ (50 x 65.5 cm.)

Collection The Solomon R.
Guggenheim Museum, New York

Inscribed: lr "Alberto Giacometti
1957"

105

Interior (Intérieur). 1957

Pencil, 25¾ x 19¾″ (65.5 x 50.2 cm.)

Collection The Solomon R. Guggenheim Museum, New York

Inscribed: lr "Alberto Giacometti 1957"

106

Landscape (Paysage). 1957

Pencil, 19¾ x 25¾″ (50.2 x 65.5 cm.)

Collection The Solomon R.
Guggenheim Museum, New York

Inscribed: lr "Alberto Giacometti
1957"

Selected Bibliography

1. *By the artist*

"Objets mobiles et muets, *Le Surréalisme au service de la révolution,* no. 3, Paris, December 1931, pp. 18-19. Seven sketches and prose-poem "Toutes choses"; Reprinted, London Arts Council Gallery, *Giacometti,* June 4-July 9, 1955, p. 7. Exhibition catalogue.
  New version with abridged text as double-page lithograph, *XXe Siècle,* new series, no. 3, Paris, June 1952, after p. 68; Reprinted, Carola Giedion-Welcker, *Contemporary Sculpture,* New York, Wittenborn, 1955, revised edition 1961, pp. 308-309; Herbert Lust, *Giacometti: The Complete Graphics,* New York, Tudor, 1970, p. 14; James Lord, "Giacometti: Dubuffet," *Bulletin of the Rhode Island School of Design,* vol. 56, no. 3, March 1970, p. 26.

"Poème en 7 espaces," "Le Rideau brun," "Charbon d'herbe," "Hier, sables mouvants," *Le Surréalisme au service de la révolution,* no. 5, Paris, May 1933, pp. 15, 44-45.
  English translation by David Gascoyne, "Poem in Seven Spaces," *Art in America,* vol. 54, no. 1, New York, January 1966, p. 87; English translation "Yesterday, Moving Sands," Lucy R. Lippard, *Surrealists on Art,* New Jersey, Prentice-Hall, 1971, pp. 141-143.

"Palais de 4 heures," *Minotaure,* no. 3-4, Paris, December 1933, p. 46.
  English translation by Ruth Vollmer and Don Gifford, "1 + 1 = 3," *Trans/formation,* vol. 1, no. 3, New York, 1953, pp. 165-167; New York, The Museum of Modern Art, *Alberto Giacometti,* June 9-October 10, 1965, p. 44. Exhibition catalogue; New York, The Museum of Modern Art, *Dada, Surrealism and Their Heritage,* March 27-June 9, 1968, p. 195. Traveled to Los Angeles County Museum of Art, July 16-September 8, The Art Institute of Chicago, October 19-December 8, p. 195. Exhibition catalogue. Text by William S. Rubin; William S. Rubin, *Dada and Surrealist Art,* New York, Abrams, 1968, pp. 252, 254; Lucy R. Lippard, *Surrealists on Art,* New Jersey, Prentice-Hall, 1970, pp. 144-145.

"Un sculpteur vu par un sculpteur," *Labyrinthe,* no. 4, Geneva, January 19, 1945, p. 5. On Henri Laurens.
  English translation "One Sculptor Looks at Another," New York, The Cultural Center, *Laurens and Braque,* January 15-March 21, 1971, pp. 13-14. Exhibition catalogue.

"A propos de Jacques Callot," *Labyrinthe,* no. 7, Geneva, April 15, 1945, p. 3.

"Le Rêve, le sphinx et la mort de T.," *Labyrinthe,* no. 22-23, Geneva, December 15, 1946, pp. 12-13.

"[Première] Lettre à Pierre Matisse," New York, Pierre Matisse Gallery, *Alberto Giacometti,* January 19-February 14, 1948, pp. 31-45. Exhibition catalogue. English translation by Lionel Abel, pp. 29-30, 36, 42, 44.
  New English translation, New York, The Museum of Modern Art, *Alberto Giacometti,* June 9-October 10, 1965, pp. 14-28. Exhibition catalogue; Reprinted, Herschel B. Chipp, *Theories of Modern Art: A Source Book by Artists and Critics,* Los Angeles, University of California Press, 1968, third paperback edition 1971, pp. 598-601; Lucy R. Lippard, *Surrealists on Art,* New Jersey, Prentice-Hall, 1970, pp. 145-148.

[Deuxième] Lettre à Pierre Matisse," New York, Pierre Matisse Gallery, *Alberto Giacometti,* November-December 12, 1950, pp. 8, 10, 12, 14, 16, 18, 20, 24. English translation pp. 3, 5-6, 9, 11, 13, 15, 17. Fragments of Giacometti's letter. Exhibition catalogue.

"Un Aveugle avance la main dans la nuit," *XXe Siècle,* new series, no. 2, Paris, January 1952, pp. 71-72.

"Gris, brun, noir . . .," *Derrière le miroir,* no. 48-49, Paris, June 1952, pp. 2-3, 6-7. On Georges Braque.

"Mai 1920," *Verve,* vol. VII, no. 27-28, Paris, January 1953, pp. 33-34. On Italy.

"Derain," *Derrière le miroir,* no. 94-95, Paris, February 1957, pp. 7-8.

"Ma réalité," *XXe Siècle,* new series, no. 9, Paris, June 1957, p. 53. English translation, New York, Pierre Matisse Gallery, *Alberto Giacometti,* 1961. Exhibition catalogue.

"Concerning the Human Image," New York, The Museum of Modern Art, *New Images of Man,* 1959, reprinted 1969, p. 68. Letter to Peter Selz. Exhibition catalogue.

"Paris sans fin," *Paris sans fin: 150 lithographies originales,* Paris, Tériade, 1969. Autobiographical texts of 1963-64; fall 1965.

"Notes sur les copies," *L'Ephémère,* no. 1, Paris, 1967, pp. 104-108.
  Reprinted with English translation by Barbara Luigia La Penta, Luigi Carluccio, *Alberto Giacometti: A Sketchbook of Interpretative Drawings,* New York, Abrams, 1968, pp. VII-XL.

"Tout cela n'est pas grand' chose," *L'Ephémère,* no. 1, Paris, 1967, p. 102.

2. *Conversations with the artist (in English)*

Jean Clay, "Giacometti's dialogue with death," *Réalités,* no. 161, Paris, April 1964, pp. 54-58, 76. English edition.

Emily Genauer, "The 'Involuntary' Giacometti," *New York Herald Tribune*, Magazine Section, June 13, 1965, p. 32.

Carlton Lake, "The Wisdom of Giacometti," *The Atlantic Monthly*, vol. 216, no. 3, Boston, September 1965, pp. 117-126.

Alexander Liberman, "Giacometti," *Vogue*, vol. 125, no. 1, New York, January 1, 1955, pp. 146-151, 178-179.

James Lord, *A Giacometti Portrait*, New York, Doubleday, 1965.

Pierre Schneider, "At the Louvre with Giacometti," *Encounter*, vol. 26, no. 3, New York, March 1966, pp. 34-39.
> Reprinted, Pierre Schneider, *Louvre Dialogs*, New York, Athenaeum, 1971, pp. 191-208.

David Sylvester, "Interview with Alberto Giacometti," London, BBC, III Program, September 1964.
> Excerpts, *The Sunday Times*, Magazine Section, London, July 4, 1965, pp. 19-25.

Alexander Watt, "Conversation with Giacometti," *Art in America*, vol. 48, no. 4, New York, 1960, pp. 100-102.

3. *Monographs*

Ernst Beyeler, ed., *Alberto Giacometti*, Beyeler, Basel, 1964. German, French, English editions. Includes "[Première] Lettre à Pierre Matisse," "Alberto Giacometti en timbre-poste ou en medaillon," by Michel Leiris, excerpts from interview by André Parinaud, "Pourquoi je suis sculpteur."

André du Bouchet, *Alberto Giacometti, dessins 1914-1965*, Paris, Maeght, 1969.

Palma Bucarelli, *Giacometti*, Rome, *Editalia*, 1962. In Italian, French, and English.

Luigi Carluccio, *Alberto Giacometti: Le copie del passato*, Turin, Botero, 1968.
> English translation by Barbara Luigia La Penta, *Alberto Giacometti. A Sketchbook of Interpretative Drawings*, New York, Abrams, 1968.

Jacques Dupin, *Alberto Giacometti*, Paris, Maeght, 1962.
> English translation by John Ashbery,

Alberto Giacometti, Paris, Maeght, 1962.

Jean Genet, *L'Atelier d'Alberto Giacometti*, Décine, Barbezat, 1958. New edition with photographs by Ernst Scheidegger, 1963; Excerpts in English, *Harper's Bazaar*, no. 3003, New York, February 1962, pp. 102-103, 153-155, 178-179.

Giacometti, Milan, Fabbri, 1967. *I Maestri del Colore, No. 55*. Includes texts by Henri Coulonges and Alberto Martini.
> French translation, *Giacometti*, Paris, Hachette, 1967. *Chefs-d'oeuvre de l'art, Grands peintres, No. 55*.

Giacometti, Milan, Fabbri, 1969. *I Maestri della Scultura, No. 131*. Includes texts by Mario Negri and Antoine Terrasse.
> French translation, *Giacometti, sculptures*, Paris, Hachette, 1969. *Chefs-d'oeuvre de l'art, Grands peintres, No. 131*.

Douglas Hall, *Alberto Giacometti*, London, Knowledge Publications, 1967. The Masters Series, no. 48.

Reinhold Hohl, *Alberto Giacometti*, Stuttgart, Hatje, 1971.
> English translation by John Gabriel, *Alberto Giacometti*, New York, Abrams, 1972, London, Thames and Hudson, 1972; French translation by H. -Ch. Tauxe and Eric Schaer, Lausanne, Guilde du Livre et Clairefontaine, 1971. Contains documentary biography and comprehensive bibliography.

Carlo Huber, *Alberto Giacometti*, Zurich, Ex Libris, 1970.
> French translation, *Alberto Giacometti*, Lausanne, Rencontre, 1970.

Gotthard Jedlicka, *Alberto Giacometti als Zeichner*, Olten, Bücherfreunde, 1960.

Jean Leymarie, *Quarantacinque disegni di Alberto Giacometti*, Turin, Einaudi, 1963.

James Lord, *A Giacometti Portrait*, New York, Doubleday, 1965.

James Lord, *Alberto Giacometti: Drawings*, Greenwich, Connecticut, New York Graphic Society, 1971.

Herbert C. Lust, *Alberto Giacometti: The Complete Graphics and Fifteen Drawings*, New York, Tudor, 1970.

Herbert Matter, *Alberto Giacometti: A Photographic Essay*, Basel, Druck-und Verlagsanstalt, 2 vols. In preparation. Introduction by Mercedes Matter, text by Isaku Yanaihara.

Franz Meyer, *Alberto Giacometti: Eine Kunst existentieller Wirklichkeit*, Frauenfeld-Stuttgart, Huber, 1968.

Raoul Moulin, *Giacometti: Sculpture*, Paris, Hazan, 1964.
> English translation by Bettina Wadia, *Giacometti: Sculpture*, London, Methuen, 1964; New York, Tudor, 1964.

Willy Rotzler and Marianne von Adelmann, *Alberto Giacometti*, Bern, Hallwag, 1970. Orbis Pictus No. 55.

Ernst Scheidegger, ed., *Alberto Giacometti: Schriften, Zeichnungen*, Zurich, Arche, 1958. Includes most of Giacometti's writings 1931-1952 in French and German.

Giorgio Soavi, *Il mio Giacometti*, Milan, Scheiwiller, 1966.

Isaku Yanaihara, *Aberto Giacometti*, Tokyo, Misusu, 1958.

Zurich, Kunsthaus, Alberto Giacometti Stiftung, *Die Sammlung der Alberto Giacometti-Stiftung*, 1971. Catalogue by Bettina von Meyenburg-Campbell and Dagmar Hnikova.

4. *Critical essays and publications with important reproductions*

Jean-Christoph Ammann, "Das Problem des Raumes im Werk Alberto Giacometti," *Werk*, vol. 53, no. 6, Winterthur, June 1966, pp. 237-240

Renato Barilli, "La prospettiva di Giacometti," *Letteratura*, no. 58-59, Rome, 1962, pp. 13-23.

John Berger, "The Death of Alberto Giacometti," *New Society*, London, February 3, 1966, p. 23.

John Berger, "Alberto Giacometti," *The Moment of Cubism and Other Essays*, New York, Pantheon Books, 1969, pp. 112-116.

John Berger, "Giacometti: 1901-1966," *The Nation*, vol. 184, no. 12, New York, March 21, 1966, pp. 341-342.

Edith Boissonnas, "A propos d'Alberto Giacometti," *La Nouvelle Revue Française*, no. 150, Paris, June 1, 1965, pp. 1127-1129.

André Breton, "Equation de l'objet trouvé," *Documents 34,* new series, no. 1, Brussels, June 1934, pp. 17-24, illus. Reprinted, *L'Amour fou,* Paris, Gallimard, 1937, pp. 40-57.

Palma Bucarelli, "Giacometti: O del Prigioniero," *L'Europa Letteraria,* vol. 2, no. 8, Rome, April 1961, pp. 205-214.

Robin Campbell, "Alberto Giacometti: A Personal Reminiscence," *Studio International,* vol. 171, no. 874, London, February 1966, p. 47.

Andrew Causey, "Giacometti: Sculptor with a Tormented Soul," *The Illustrated London News,* January 22, 1969, pp. 27-29.

Jean Clair, "Giacometti le sauveur," *La Nouvelle Revue Française,* no. 202, Paris, October 1, 1969, pp. 545-557.

Douglas Cooper, "Portrait of a Genius but," *The New York Review of Books,* September 16, 1965, pp. 10-14.

Arthur Drexler, "Giacometti: A Change of Space," *Interiors,* vol. 109, no. 3, New York, October 1949, pp. 102-107, illus.

Jacques Dupin, "Giacometti, sculpteur et peintre," *Cahiers d'Art,* vol. 29, no. 1, Paris, October 1954, pp. 41-54, illus.

Gerald Eager, "The Missing and the Mutilated Eye in Contemporary Art," *Journal of Aesthetics and Art Criticism,* vol. 20, no. 1, Detroit, Fall 1961, pp. 49-59, illus.

Albert E. Elsen, "Introduction," *The Partial Figure in Modern Sculpture from Rodin to 1969,* Baltimore, Museum of Art, December 2, 1969-February 1, 1970. Exhibition catalogue.

Claude Esteban, "L'espace et la fièvre," *La Nouvelle Revue Française,* vol. 15, no. 169, Paris, January 1967, pp. 119-127.

Andrew Forge, "Giacometti," *The Listener,* London, July 23, 1965, pp. 131-132.

Frank Getlein, "Giacometti and Surrealism," *The New Republic,* vol. 153, no. 10, New York, September 4, 1965, pp. 31-32.

"Alberto Giacometti: Sculptures et dessins récents," *Cahiers d'Art,* vol. 20-21, Paris, 1945-1946, pp. 253-268, illus. No text.

Carola Giedion-Welcker, "New Roads in Modern Sculpture," *Transition,* no. 23, Paris, 1935, pp. 198-201. Translated by Eugene Jolas.

Paule-Marie Grand, "Today's Artists: Giacometti," *Portfolio and Art News Annual,* no. 3, New York, 1960, pp. 64-79, 138-140, illus. Translated by Richard Howard.

Clement Greenberg, "Giacometti," *The Nation,* vol. 166, no. 6, New York, February 7, 1948, pp. 163-164.

Harper's Bazaar, vol. 82, no. 1, New York, January 1948, pp. 110-113. Photographs by Brassaï and Patricia Matisse.

Thomas B. Hess, "Spotlight on: Giacometti," *Art News,* vol. 46, no. 12, New York, February 1948, p. 31.

Thomas B. Hess, "Giacometti: The Uses of Adversity," *Art News,* vol. 57, no. 3, New York, May 1958, pp. 34-35, 67, illus.

Thomas B. Hess, "The Cultural-Gap Blues," *Art News,* vol. 57, no. 9, New York, January 1959, pp. 22-25, 61-62.

Thomas B. Hess, "Alberto Giacometti," *Art News,* vol. 65, no. 1, New York, March 1966, p. 35.

Reinhold Hohl, "Alberto Giacometti: Kunst als die Wissenschaft des Sehens," *Jahrbuch Die Ernte,* vol. 42, Basel, Reinhardt, 1966, pp. 134-150, illus.

Reinhold Hohl, "Alberto Giacometti: Atelier im Jahr 1932," *Du,* vol. 31, no. 363, Zurich, May 1971, pp. 352-356, illus.

Hans Holländer, "Das Problem des Alberto Giacometti," *Wallraf-Richartz Jahrbuch,* vol. 33, Cologne, DuMont Schauberg, 1971, pp. 259-284, illus.

Anatole Jakovski, *24 essais sur Arp . . . Giacometti . . . etc.,* Paris, Orobitz, 1935.
English translation "Inscriptions under Pictures," *Axis,* no. 1, London, 1935, p. 17.

Gotthard Jedlicka, "Alberto Giacomettis Bildniszeichnungen nach Henri Matisse," *Neue Zürcher Zeitung,* July 28, 1957; "Alberto Giacometti: Zum sechzigsten Geburtstag am 10. Oktober 1961," *Neue Zürcher Zeitung,* October 10, 1961; "Alberto Giacometti: Fragmente aus Tagebüchern 1953-1964," *Neue Zürcher Zeitung,*

April 5, 1964; "Begegnung mit Alberto Giacometti," *Neue Zürcher Zeitung,* January 16, 1966. All articles reprinted, *Alberto Giacometti: Einige Aufsätze von Professor Dr. Gotthard Jedlicka,* Zurich, Alberto Giacometti Stiftung, 1965.

Heinz Keller, "Ueber das Betrachten der Plastiken Alberto Giacomettis," *Werk,* vol. 50, no. 4, Winterthur, April 1963, pp. 161-164, illus. Contains English summary.

Max Kozloff, "Giacometti," *The Nation,* New York, vol. 200, no. 26, June 28, 1965, pp. 710-711.

Max Kozloff, "Giacometti," *Renderings: Critical Essays on a Century of Modern Art,* New York, Simon and Schuster, 1968, pp. 182-187.

Hilton Kramer, "Reappraisals: Giacometti," *Arts Magazine,* vol. 38, no. 2, New York, November 1963, pp. 52-59; Reprinted, *The Age of the Avant-Garde: Art Chronicle of 1956-1972,* New York, Farrar, Strauss & Giroux, 1973.

Hilton Kramer, "Alberto Giacometti," *The New York Times,* January 13, 1966, pp. 22, 24.

Jerrold Lanes, "Alberto Giacometti," *Arts Yearbook 3,* New York, 1959, pp. 152-155.

Michel Leiris, "Alberto Giacometti," *Documents,* no. 4, September 1929, pp. 209-214, illus. Contains English summary.

Michel Leiris, "Pierres pour un Alberto Giacometti," *Derrière le miroir,* no. 39-40, Paris, Maeght, June 1951.
English translation of earlier version of text by Douglas Cooper, "Thoughts around Alberto Giacometti," *Horizon,* vol. 19, no. 114, New York, June 5, 1949, pp. 411-417.

Georges Limbour, "Giacometti," *Magazine of Art,* vol. 41, no. 7, New York, November 1948, pp. 253-255, illus.

James Lord, "Alberto Giacometti, sculpteur et peintre," *L'Oeil,* no. 1, Paris, January 15, 1955, pp. 14-20, illus.
English translation, "Alberto Giacometti, Sculptor and Painter," *The Selective Eye: An Anthology of the Best from L'Oeil,* New York, Random House, 1955, pp. 90-97, illus.

James Lord, "In Memoriam Alberto Giacometti," *L'Oeil*, no. 135, Paris, March 1966, pp. 42-46, 67, illus.

Nicola G. Markoff, "Alberto Giacometti und seine Krankheit," *Bündner Jahrbuch*, new series, no. 9, Chur, Switzerland, 1967, pp. 65-68.

M. L. d'Otrange Mastai, "Micromegas in our Midst," *Apollo*, vol. 75, no. 442, London, December 1961, pp. 195-196, illus.

M. L. d'Otrange Mastai, "Giacometti Studies," *The Connoisseur*, vol. 158, no. 638, London, April 1965, p. 279.

Mercedes Matter, "Giacometti: In the Vicinity of the Impossible," *Art News*, vol. 64, no. 4, New York, Summer 1965, pp. 27-29, 53-54, illus.

James R. Mellow, "Extraordinarily Good, Extraordinarily Limited," *The New York Times*, Sunday, November 2, 1969, p. 29.

Mario Negri, "Frammenti per Alberto Giacometti," *Domus*, no. 320, Milan, July 1956, pp. 40-48, illus.

Jiri Padrta, "Prostor v díle Giacometta," *Vytv. Umeni*, vol. 13, Prague, 1963, pp. 157-165. ["Space in Giacometti's Work"]

Roland Penrose, "Alberto Giacometti," *Institute of Contemporary Arts Bulletin*, no. 155, London, February 1966, p. 4.

Stuart Preston, "Giacometti," *The New York Times*, December 15, 1950, p. x25.

Maurice Raynal, "Dieu-table-cuvette. Les ateliers de Brancusi, Despiau, Giacometti," *Minotaure*, no. 3-4, Paris, December 1933, p. 47. Photographs.

Gérard Régnier, "Orangerie des Tuileries, Alberto Giacometti," *La Revue du Louvre*, no. 4-5, Paris, October 1969, pp. 287-294.

Bryan Robertson, "The Triumph of Time," *The Spectator*, no. 7153, London, Friday, July 30, 1965, pp. 150-151.

Jean-Paul Sartre, "La Recherche de l'absolu," *Les Temps Modernes*, vol. 3, no. 28, Paris, January 1948, pp. 1153-1163.
Reprinted *Situations III*, Paris, Gallimard, 1949, pp. 289-305; English translation "The Search for the Absolute," by Lionel Abel, New York, Pierre Matisse Gallery, *Alberto Giacometti: Sculptures, Paintings, Drawings, 1948*, pp. 2-22; new translation "The Search for the Absolute," by Frederick T. Davis, *Harvard Art Review*, no. 1, Cambridge, 1966, pp. 28-30.

Jean-Paul Sartre, "Les peintures de Giacometti," *Derrière le miroir*, no. 65, Paris, Maeght, 1954.
Reprinted, *Situations IV*, Paris, Gallimard, 1964, pp. 346-347; English translation by Lionel Abel, "Giacometti in Search of Space," *Art News*, vol. 54, no. 5, New York, September 1955, pp. 26-29, 63-65; English translation by Warren Ramsay, "The Painting of Giacometti," *Art and Artist*, Berkeley and Los Angeles; The University of California Press, 1956, pp. 179-194; English translation by Benita Eisler, "Jean-Paul Sartre," *Situations*, New York, Braziller, 1965.

Pierre Schneider, "Giacometti: His men look like survivors of a shipwreck," *The New York Times Magazine*, June 6, 1965, pp. 34-35, 37, 39, 42, 44-46.

Michel Seuphor, "Giacometti and Sartre," *Art Digest*, vol. 29, no. 1, New York, 1954, p. 14.

Robert Smithson, "Quasi-Infinities and the Waning of Space," *Arts*, vol. 41, no. 1, New York, November 1966, p. 30.

James Thrall Soby, "Alberto Giacometti," *The Saturday Review of Literature*, vol. 38, no. 32, New York, August 6, 1955, pp. 36-37.

James Thrall Soby, "Alberto Giacometti, *Modern Art and the New Past*, Norman, Oklahoma, University of Oklahoma Press, 1957, pp. 122-126.

David Sylvester, "Perpetuating the Transient," London, The Arts Council of Great Britain, *Alberto Giacometti*, June 4-July 9, 1955, pp. 3-6. Exhibition catalogue.

David Sylvester, "Post-Picasso Paris," *The New Statesmen and Nation*, London, 1957, p. 838.

David Sylvester, "The Residue of a Vision," London, The Tate Gallery, *Alberto Giacometti*, 1965, pp. 19-27. Exhibition catalogue.

David Sylvester, "Giacometti: An Inability to Tinker," *The Sunday Times Magazine*, London, July 4, 1965, pp. 19-25, illus.

C. H. Waddington, *Behind Appearance*, Edinburgh, University Press, 1969, pp. 228-234.

Alexander Watt, "Alberto Giacometti: Pursuit of the Unapproachable," *The Studio*, vol. 167, no. 849, London, January 1964, pp. 20-27, illus. Includes "Photo-finish" by Marianne von Adelmann.

Herta Wescher, "Giacometti: A Profile," *Art Digest*, vol. 28, no. 5, New York, December 1, 1953, pp. 17, 28-29, illus.

Isaku Yanaihara, "Alberto Giacometti: Pages de journal," *Derrière le miroir*, no. 127, Paris, Maeght, May 1961, pp. 18-26.

Christian Zervos, "Notes sur la sculpture contemporaine: A propos de la récente exposition internationale de sculpture, Galerie Georges Bernheim, Paris," *Cahiers d'Art*, vol. 4, no. 10, Paris, 1929, pp. 465-473, illus.

Christian Zervos, "Quelques notes sur les sculptures de Giacometti," *Cahiers d'Art*, vol. 7, no. 8-10, Paris, 1932, pp. 337-342. Contains seven photographs by Man Ray.

5. *Films*

Sumner J. Glimcher, Stuart Chasmar and Arnold Jamson, *Alberto Giacometti*, New York, Columbia University Press, 1966 and The Museum of Modern Art. Color film, 16 mm. 12 min.

Jean-Marie Drôt, *Alberto Giacometti*, Paris, ORTF, November 19, 1963; revised version, Paris, ORTF, 1966. Television film series "Les heures chaudes de Montparnasse." 35 mm., 46 min.

Ernst Scheidegger, Peter Münger and Jacques Dupin, *Alberto Giacometti*, Zurich, Scheidegger and Rialto, 1966. Color film, 16 and 35 mm., 29 min.

Giorgio Soavi, *Il sogno di una testa. Ritratto di Alberto Giacometti*, Lugano, Televisione Svizzera Italiana, 1966. Black and white film, 16 mm., 29 min.

Selected Exhibitions

Group Exhibitions 1925-1952

Group exhibitions from this period only are listed as Giacometti's inclusion in them during these years was extremely significant. Moreover, his participation in such shows after 1952 was too extensive to list.

Salon des Tuileries, salle des cubistes, Paris, May 1925.

Salon des Tuileries, Paris, November 1925.

Exposition des artistes suisses, Paris, 1925.

Salon des Tuileries, Paris, 1926.

Salon des Tuileries, Paris, 1927.

Galerie Aktuaryus, Zurich, October 23-November 30, 1927, *Giovanni und Alberto Giacometti*.

Salon des Tuileries, Paris, 1928.

Salon de L'Escalier, Paris, February 1928, *Artisti Italiani di Parigi*.

Galerie Jeanne Bucher, Paris, 1928.

Galerie Zak, Paris, March-April 1929, *Un groupe d'Italiens de Paris*.

Galerie Georges Bernheim, Paris, November 1929, *Exposition internationale de la sculpture*.

Galerie Wolfensberg, Zurich, November-December 1929, *Production Paris 1929*.

Galerie Pierre, Paris, 1930, *Miró, Arp, Giacometti*.

Galerie Pierre, Paris, May 22-June 6, 1931, *Où allons-nous?*

Galerie Georges Petit, Paris, October-November 1931, *Jeunes artistes d'aujourd'hui*.

Maison de la Culture, Paris, 1932.

Galerie Pierre Colle, Paris, June 7-18, 1933, *Exposition surréaliste*.

Salon des Surindépendants, Paris, 1933.

Salon des Surindépendants, Paris, 1934.

Palais des Beaux-Arts, Brussels, May 12-June 3, 1934, *Exposition Minotaure*.

Kunsthaus Zurich, October 11-November 4, 1934, *Was ist Surrealismus?*

Copenhagen - Oslo, January 1935, *Exposition cubiste-surréaliste*.

Kunstmuseum, Lucerne, February 24-March 31, 1935, *Thèse - Antithèse - Synthèse*.

Santa Cruz de Teneriffa, May 11-21, 1935, *Esposición Surrealista*.

The Museum of Modern Art, New York, March 4-April 12, 1936, *Cubism and Abstract Art*.

Galerie Charles Ratton, Paris, May 22-29, 1936, *Exposition surrealiste d'objets*.

The New Burlington Galleries, London, June 4-July 4, 1936, *The International Surréalist Exhibition*.

Kunsthaus Zurich, June 13-July 22, 1936, *Zeitprobleme in der Schweizer Malerei und Plastik*.

The Museum of Modern Art, New York, December 7, 1936-January 17, 1937, *Fantastic Art, Dada, Surrealism*.

Tokyo, 1937, *Surrealist Exhibition*.

Galerie Beaux-Arts, Paris, January-February 1938, *Exposition internationale du surréalisme*.

Zurich, May-October 1939, *Schweizerische Landesaustellung*.

M.A.J. Gallery, Paris, 1940, *Art of Our Time*.

Galeria de Arte Mexicano, Mexico City, February 1940, *Exposiciòn Internacional de Surrealismo*.

Art of this Century, New York, October 1942.

Reid Mansion, New York, October 19-November 7, 1942, *Surrealist Exhibition*.

Palais des Papes, Avignon, June 27-September 30, 1947, *Exposition de peintures et sculptures contemporaines*.

Kunsthalle, Bern, February-May 1948, *Sculpteurs contemporains de l'Ecole de Paris*.

Stedelijk Museum, Amsterdam, 1948, *13 Beeldhouwers uit Paris*.

The Biennale, Venice, June-October 1948, *XXIV Esposizione Internazionale d'Arte*.

Palazzo Venier dei Leoni, Venice, September-October 1949, *Mostra di scultura contemporanea*.

Maison de la Pensée Française, Paris, Summer 1949, *Sculpture de Rodin à nos jours*.

The Royal Academy of Art, London, 1951, *L'Ecole de Paris 1900-1950*.

Battersea, London, 1951, *Second Open Air Exhibition of Sculpture*.

Kunsthalle, Basel, August 30-October 5, 1952, *Phantastische Kunst des XX Jahrhunderts*.

Kunsthaus Zurich, 1952, *Malerei in Paris - heute*.

The Institute of Contemporary Arts, London, July 1952, *Recent Trends in Realistic Painting*.

One-Man Exhibitions

Galerie Pierre Colle, Paris, May 1932.

Julien Levy Gallery, New York, December 1, 1934, *Abstract Sculpture by Alberto Giacometti*.

Art of this Century, New York, February-March 1945, *Sculptures 1931-1935*.

Galerie Pierre Loeb, Paris, 1946, *Paintings and Drawings 1945-1946*.

Galerie Arts, Paris, 1947, *Sculptures 1946-1947*.

Pierre Matisse Gallery, New York, January 19-February 14, 1948, *Exhibition of Sculptures, Paintings, Drawings*. Catalogue with introduction by Jean-Paul Sartre, autobiographical text with sketches by Giacometti.

Kunsthalle, Basel, May 6-June 11, 1950, *André Masson, Alberto Giacometti*.

Pierre Matisse Gallery, New York, November 1950, *Sculptures, Paintings, Drawings*. Catalogue with notes and sketches by Giacometti.

Galerie Maeght, Paris, June-July 1951. Catalogue with introduction by Michel Leiris.

Wittenborn Gallery, New York, September 1952, *Alberto Giacometti: Lithograph Drawings of His Studio*.

The Arts Club, Chicago, November-December 1953.

Galerie Maeght, Paris, May 1954. Catalogue with introduction by Jean-Paul Sartre.

The Arts Council Gallery, London, June 4-July 9, 1955.

The Solomon R. Guggenheim Museum, New York, June 7-July 17, 1955.

Kaiser Wilhelm Museum, Krefeld, Germany, May-June 1955. Traveled to Künstverein fur die Rheinlande und Westfalen, Düsseldorf, July-August; Würtembergische Künstverein, Stuttgart, September 13-October 5.

Kunsthalle, Bern, June 16-July 22, 1956. Catalogue with introduction by Franz Meyer.

The Biennale, Venice, June 19-October 1956, *XXVIII Esposizione Internazionale d'Arte*.

Galerie Maeght, Paris, June 1957, Catalogue with introduction by Jean Genet.

Pierre Matisse Gallery, New York, May 6-31, 1958, *Sculptures, Paintings, Drawings from 1956-1958*.

Galerie Klipstein & Kornfeld, Bern, July 18-August 22, 1959, *Alberto Giacometti: Zeichnungen und Graphik*.

The World House Galleries, New York, January-February 1960.

Galerie Maeght, Paris, May 1961. Catalogue with texts by Olivier Larronde and Isaku Yanaihara.

Galleria Galatea, Torino, December 1-24, 1961. Catalogue with introduction by Luigi Carluccio.

Pierre Matisse Gallery, New York, December 12-30, 1961.

The Biennale, Venice, June 16-October 7, 1962, *XXXI Esposizione Internazionale d'Arte*.

Kunsthaus Zurich, December 2-January 6, 1963. Catalogue with introduction by Eduard Hüttinger.

The Phillips Collection, Washington, D.C., February 2-March 4, 1963.

Galerie Krugier, Geneva, May-July 1963.

Galerie Beyeler, Basel, July-September 1963.

Libreria Einaude, Rome, December 1963.

Pierre Matisse Gallery, New York, November 17-December 12, 1964, *Drawings*. Catalogue with introduction by James Lord.

Kunstkabinett, Berlin-Weissensee, Germany, 1964, *Drawings*.

Tate Gallery, London, July 17-August 30, 1965, *Alberto Giacometti: Sculptures, Paintings, Drawings 1913-1965*. Catalogue with introduction by David Sylvester.

The Museum of Modern Art, New York, June 9-October 10, 1965, *Sculpture, Paintings and Drawings*. Traveled to The Art Institute of Chicago, November 5-December 12; Los Angeles County Museum of Art, January 11-February 20, 1966; San Francisco Museum of Art, March 10-April 24, 1966. Catalogue with introduction by Peter Selz.

Louisiana Museum, Humblebaek, Denmark, September 18-October 24, 1965.

Stedelijk Museum, Amsterdam, November 5-December 4, 1965, *Alberto Giacometti: Tekeningen*.

Kunsthalle, Basel, June 25-August 28, 1966, *Gedächtnis - Ausstellung Alberto Giacometti*. Catalogue with introduction by Franz Meyer.

Kestner-Gesellschaft, Hanover, October 6-November 6, 1966, *Alberto Giacometti Zeichnungen*. Catalogue with introduction by Wieland Schmied.

Loeb & Krugier Gallery, New York, December 1-31, 1966, *Alberto Giacometti and Balthus Drawings*. Catalogue with introduction by James Lord.

Galerie Engelberts, Geneva, March 10-April 1967, *Alberto Giacometti: Dessins, estampes, livres illustrés, sculptures*. Catalogue with references for catalogue raisonné.

Brook Street Gallery, London, 1967.

Sidney Janis Gallery, New York, November 6-30, 1968, *Paintings and Sculpture by Giacometti and Dubuffet*. Catalogue.

Galerie Claude Bernard, Paris, April 17-May 1969, *Dessins d'Alberto Giacometti*. Catalogue with text by André du Bouchet.

Musée National de l'Orangerie des Tuileries, Paris, October 24-January 12, 1970. Catalogue with introduction by Jean Leymarie.

Rhode Island School of Design, Providence, 1970, *Giacometti. Dubuffet*. Catalogue with introduction by James Lord.

The Milwaukee Art Center, 1970, *Giacometti: The Complete Graphics and 15 Drawings*. Traveled to Albright-Knox Art Gallery, Buffalo; The High Museum of Art, Atlanta; The Finch College Museum of Art; The Joslyn Art Museum, Omaha; The Museum of Fine Arts, Houston; The San Francisco Museum of Art. Book with introduction by John Lloyd Taylor, text and catalogue raisonné by Herbert C. Lust.

Galerie Engleberts, Geneva, October 15-December 12, 1970, *Alberto Giacometti: Dessins, estampes, livres.*

Frank Perls Gallery, Beverly Hills, California, November 2-December 23, 1970. *36 lithographs and other works by Alberto Giacometti.*

Académie de France, Villa Medici, Rome, October 24-December 18, 1970.

Musée Jenisch, Vevey, Switzerland, July 11-September 20, 1971, *Sculpture suisse contemporaine*. Catalogue.

Kunstmuseum, Olten, Switzerland, January 1972, *Alberto Giacometti. Paris sans fin*. Catalogue with introduction by Reinhold Hohl.

Galerie Gerald Cramer, Geneva, March 10-May 20, 1972, *Alberto Giacometti. Paris sans fin - livres et gravures.*

Galerie Scheidegger & Maurer, Zurich, April-May 1972, *Alberto Giacometti. Paris sans fin*. Catalogue with introduction by Reinhold Hohl.

Museo Civico di Belle Arti, Lugano, April 7-June 17, 1973, *La Svizzera italiana onora Alberto Giacometti.*

Tokyo, Galerie Seibu, September 1-18, 1973, *Alberto Giacometti exposition au japon*. Traveled to Museum of Modern Art, Hyogo, Kobe, October 20-November 25; Ishikawa Prefectural Art Museum, December 2-January 15, 1974. Catalogue with introduction by Isaku Yanaihara; biographical chronology by Reinhold Hohl.

Chronology

1901
Born October 10 in Borgonovo, Grisons, Switzerland in Italian-speaking Bergell valley, into a family of artists: Giovanni Giacometti was his father, Cuno Amiet his godfather and Augusto Giacometti his mother's and father's cousin.

1906
Moved with family to Stampa, a few miles south of Borgonovo.

1915-19
Attended secondary school in Schiers; left before final examinations to work in father's studio.

1919-20
Enrolled in Academy of Fine Arts, Geneva, attended painting classes of David Estoppey; studied sculpture and drawing at School of Arts and Crafts, Geneva with Maurice Sarkissoff, a former associate of Archipenko.

1920
Trip to Italy; saw Cézannes and Archipenkos at Venice Biennale, deeply impressed by primitive and Egyptian art, Tintorettos and Giottos he saw during his travels.

1921
Spent about six months in Rome, studying by himself and sketching in museums after early Christian, early Renaissance and Baroque art.

1922
Arrived in Paris January 1. Until 1924 returned every few months to Stampa. For five years intermittently attended Bourdelle's sculpture class at Académie de la Grande Chaumière.

1925-26
First participation in Salon des Tuileries where he showed sculpture. Gave up painting in Paris for nearly 20 years, but continued to paint in Stampa.

1927
Moved into small studio at 46, rue Hippolyte-Maindron, with his brother Diego, where he was to live and work until his death. Participated in group exhibitions in Paris with Italian painter-friends; visited Laurens; saw Surrealist painting, works by Duchamp-Villon, African, Oceanic, Cycladic and Sumerian sculpture.

1928
Sculpture shown at Galerie Jeanne Bucher attracted much attention.

1929
Became friendly with Masson, Leiris, Miró, Ernst and many other writers and artists associated with Surrealism. Participated in sculpture exhibition at Galerie Bernheim, Paris; received critical acclaim. Contract with Pierre Loeb.

1930-31
Miró-Arp-Giacometti exhibition at Pierre Loeb led to his acceptance as a central figure in Breton's Surrealist circle; participated in its activities with irregular loyalty. Assisted by Diego made furniture for Jean-Michel Frank for a number of years.

1932-33
First one-man exhibition Pierre Colle Gallery, May 1932. Began to work from the model, broke with Surrealist group.

1934
First one-man exhibition in New York, Julien Levy Gallery.

1939-41
Associated with Picasso, Sartre, de Beauvoir.

1942-45
Left Paris on the last day of 1941; spent remaining War years in Geneva, living and working in hotel room at rue de la Terrassière. Member of circle of Albert Skira, publisher of *Minotaure* and *Labyrinthe,* to which he contributed articles. Met Annette Arm.

1946
Returned to Paris.

1947
Encouraged by Pierre Loeb made first etchings since 1935.

1948
First one-man exhibition in 14 years held at Pierre Matisse Gallery, New York; Sartre's interpretation of his figure style reprinted in this exhibition's catalogue influential in identification of his work as Existential.

1949
Married Annette Arm.

Second exhibition at Pierre Matisse Gallery; though invited to participate in Venice Biennale, withdrew his work from it; first post-War European retrospective at Kunsthalle Basel. First acquisition by a public collection by Kunstmuseum Basel through Emanuel Hofmann-Funds.

1951
First lithographs made at urging of Edouard Loeb. Exclusive European contract with Maeght, who subsequently organized numerous sculpture and painting exhibitions; regular sculpture and drawing exhibitions at Pierre Matisse in New York start. Beginning of association with Samuel Beckett around this time.

1955
Major retrospectives at The Arts Council of Great Britain, London; The Solomon R. Guggenheim Museum, New York; growing interest of private collectors, particularly in English-speaking countries.

1958
Received Guggenheim International Award, Swiss National Section.

1959-60
Undertaking of Chase Manhattan Plaza project; abandoned in summer of 1960.

1961
Awarded Pittsburgh International Sculpture Prize.

1962
Venice Biennale Sculpture Prize.

1965
Received Grand Prize for Art of the City of Paris; honorary Doctor's Degree, University of Bern. Major retrospectives at Tate Gallery, London; Louisiana Museum, Humblebaek, Denmark; The Museum of Modern Art, New York, all of which Giacometti visited. Inspected Chase Manhattan Plaza site in New York. Establishment of The Alberto Giacometti Foundation in Zurich, with works drawn from gifts from the collection of G. David Thompson, purchased with private funds, and gifts from the artist, for exhibition at the museums of Basel, Winterthur and Zurich. Giacometti left Paris December 5.

1966
Died January 11 at Cantonal Hospital, Chur.

Photographic Credits

FIGURES IN THE TEXT

no. 1: Marc Vaux, Paris

no. 2: Courtesy The Museum of
Modern Art, New York

no. 3: Ernst Scheidegger, Zurich

no. 5: Courtesy Oeffentliche
Kunstsammlung, Basel

no. 7: Kurt Blum, Bern

WORKS IN THE EXHIBITION

Black and whites

Walter Dräyer, Zurich, Copyright
ADAGP/Paris + Cosmopress/Geneve
with the exception of nos. 97-105:
Robert E. Mates, New York

Ektachromes

Courtesy The Alberto Giacometti
Foundation with the exception of no.
48: Foto Adelmann

2,000 copies of this catalogue
designed by Malcolm Grear Designers,
typeset by Dumar Typesetting, Inc.,
have been printed by Holyoke Lithograph Company
in June 1974 for The Trustees of
The Solomon R. Guggenheim Foundation
on the occasion of the exhibition
Alberto Giacometti: A Retrospective.